일본 여행에서 꼭 사야할

100가지 선물

일본 여행에서 꼭 사야할 100가지 선물

발 행 | 2024년 8월23일
저 자 | 권혜원
펴낸이 | 한건희
펴낸곳 | 주식회사 부크크
출판사등록 | 2014.07.15.(제2014-16호)
주 소 | 서울특별시 금천구 가산디지털1로 119 SK트윈타워 A동 305호
전 화 | 1670-8316
이메일 | info@bookk.co.kr

ISBN | 979-11-419-5473-4

www.bookk.co.kr

CONTENT

▶UHA 미각당의 코로로 젤리
▶후지야의 칸토리마무 초코마미레
▶주식회사 용각산의 용각산&용각산 목캔디
▶주식회사 오타이산의 오타이산
▶다이이치산쿄 헬스케어의 신루루-A
▶니치방의 로이히츠보코
▶바스크린의 키키유 탄산입욕제
▶퀄리티 퍼스트의 더마레이저 슈퍼 VC100 마스크
▶기린의 오후의 홍차 밀크티
▶협동유업의 메이토의 나메라카 푸딩
▶마카미의 사슴 뿔 장식 파우치
▶시세이도 팔러 긴자본점 샵의 동백 쇼콜라
▶산토리의 호로요이
▶토라야의 양갱, 밤의 매화
▶고게츠의 센쥬 센베
▶나카무라 도키치 본점의 진한 말차 초콜릿
▶마르블랑슈 교토 기타야마의 차노카
▶훈옥당의 인센스 스틱 6종 세트
▶벨 아메르 교토 벳테이의 스틱 쇼콜라
▶잇포도차호 교토 본점의 특선 센차
▶미자루 이와자루 키카자루
▶아카후쿠의 아카후쿠모치
▶슌카도의 장어 파이
▶아카베코
▶사루보보
▶마네키네코
▶다루마
▶몬쉘의 도지마롤

▶551 호라이의 부타망
▶아오키쇼후안의 츠키게쇼
▶아사히주조의 쿠보타 만쥬
▶파스코의 나고양
▶반카쿠소우혼포의 에비 센베 유카리
▶아오야기 소우혼케의 개구리 만쥬
▶베니야의 구루밋코
▶브랑카의 쉘레느
▶고케시
▶브루봉의 알포트 미니 초콜릿
▶글리코사의 바통도르
▶키쿄야의 키쿄신겐모치
▶프란츠의 딸기 트러플
▶센다이 명과의 하기노츠키
▶즌다사료의 즌다모치
▶노사쿠의 맥주컵 세트

제3장. 시코쿠

▶스다치&스다치군
▶시샤모네코
▶이마바리 타월 마쓰야마 에어포트 스토어의 이마바리 타월
▶감귤&감귤주스
▶츠보야의 봇짱당고
▶히메다루마

제4장. 규슈

▶히요코혼포 요시노도의 하카다 명과 히요코&하카다 히요코 사브레
▶이모야 킨지로의 이모켄피

제5장. 오키나와

♣ 일본 여행자들의 작은 선물 '오미야게'

일본에서는 여행을 떠나 그곳의 아름다운 추억을 담아와 가족, 친구, 동료 등 가까운 사람들에게 직접 전하는 작은 선물을 '오미야게(お土産)'라고 부른다.

즉, 여행의 추억으로 자신을 위해 구매하는 기념품(Souvenir)과는 달리 내가 특정 지역을 방문하고 그 경험을 타인과 공유하기 위하여 사는 지역 특산품을 의미한다.

여행에서 특정 지역의 제품인 오미야게를 가족이나 지인들에게 주는 것은 여행자가 자신의 부재에 대한 미안한 마음을 전달하는 마치 사회적 의무처럼 간주되며 일본에서는 오미야게 판매가 큰 관광사업으로 자리잡았다.

오미야게 문화에 대해 좀 더 자세히 알고 싶다면 에도시대(1603~1867)로 거슬러 올라간다. 에도시대 서민들은 미에현 이세시의 이세신궁(伊勢神宮)에 참배를 가는 것이 유일한 여행이었다.

여행을 가기 위해서는 많은 돈이 필요했기 때문에 마을 사람들은 함께 돈을 모아 제비뽑기로 대표자를 선출하여 자신들의 소원을 대신 빌어달라고 부탁을 했다.

신사에서는 참배객에게 종이나 그림, 참배 때 쓰던 그릇 및 토기 등을 주는데 대표자는 인원수만큼 받을 수가 없어 지역 특산물을 사오기 시작한 것이 전통이 되면서 현대까지 이어지게 된 것이다.

일본의 오미야게 시장 규모는 1조엔(약 9조원)으로 시장 규모가 큰 만큼 오미야게의 종류도 매우 다양한데, 그 중에서 가장 사랑 받고 있는 제품으로는 홋카이도의 시로이 고이비토, 시즈오카의 장어(우나기) 파이, 도쿄의 도쿄 바나나 등으로 조사된 바 있다.

이러한 성장세에 힘입어 일본에는 오미야게 학회도 있고, 매년 철도회사 JR이 선정하는 오미야게 그랑프리 대회도 열리며 앞으로도 꾸준한 성장을 보일 것으로 전망된다.

제1장. 홋카이도

[이시야 제과의 시로이 고이비토]

<사진 www.ishiya.co.jp 홈페이지>

이시야 제과(石屋製菓)의 ‘시로이 고이비토(白い恋人, 하얀 연인)’ 화이트 초콜릿은 바삭한 랑드샤(고양이 혀처럼 납작하고 부드러운 과자) 쿠키에 초콜릿을 넣은 샌드로 차, 커피와 함께 즐길 수 있는 홋카이도의 대표 상품이다.

1976년 12월(쇼와 51년)에 창업자가 스키를 즐기다가 “하얀 연인들이 내렸어”라고 한 말에서 제품명이 탄생되었다고 알려져 있다.

홋카이도의 시내 백화점 지하 식품관, 신치토세 공항 등에서 구입할 수 있으며, 홋카이도 이외에도 일본 어느 공항에서든 구매가 가능하기 때문에 일본 여행을 하는 관광객들이 선물용으로 많이 찾고 있다.

[로이스의 생 초콜릿&포테이토칩 초콜릿]

<사진 www.royce.com 홈페이지>

홋카이도에는 로이스(ROYCE) 초콜릿 본점이 있다. 실크처럼 부드러운 '생 초콜릿(生チョコレート)'과 단짠의 최고 조합인 '포테이토칩 초콜릿(ポテトチップチョコレート)'가 로이스의 인기 상품이다.

생 초콜릿은 오레, 샴페인, 비터(쓴맛), 화이트, 말차 맛 등이 있으며, 초콜릿 포테이토칩은 오리지널, 프로마주블랑, 캐러멜, 마일드버터 맛 등이 있다.

로이스 매장은 신치토세 공항 면세점에도 있지만, 시내 백화점 매장에서 공항에 없는 다양한 맛의 제품을 판매하고 있다.

[롯카테이의 마루세이 버터샌드&스트로베리 초코화이트]

<사진 六花亭 제공>

롯카테이(六花亭)는 홋카이도 최고의 선물로 손꼽히는 사랑받는 브랜드로 단아한 꽃무늬 패키지가 인상적이다.

가장 인기 있는 제품은 '마루세이 버터샌드(マルセイバターサンド)'로 비스킷 사이에 화이트 초콜릿과 건포도를 섞은 버터 크림이 들어가 고급스러운 맛이 난다.

다음으로 동결 건조한 딸기에 화이트 초콜릿을 코팅해 만든 '스트로베리 초코화이트(ストロベリーチョコホワイト)'를 많이 찾는다.

홋카이도 백화점 지하 쇼핑몰, 롯카테이 카페, 신치토세 공항 등에서 구입할 수 있다.

[키타카로의 오카키&바움쿠헨]

<사진 www.kitakaro.com 홈페이지>

롯카테이와 함께 홋카이도의 또 다른 과자점으로는 키타카로(北菓樓)가 있다. 키타카로는 찹쌀과자 '오카키(おかき)'가 유명한데 찹쌀과 해산물을 넣어 반죽하기 때문에 쌀과자에서 진한 해물의 맛을 느낄 수가 있으며 오징어, 새우, 가리비, 다시마, 연어 맛 등이 인기다. 가격도 저렴하고 맥주 안주로 매우 좋다.

오카키와 함께 관광객들이 많이 구입하는 키타카로 제품은 '바움쿠헨(バウムクーヘン)'으로 입안에서 살살 녹는 맛으로 호평을 받고 있다.

삿포로 백화점 지하 식품관, 신치토세 공항 면세점 등에서 만날 수 있다.

[르타오의 더블 프로마쥬 치즈 케이크&오타루 이로나이 프로마쥬]

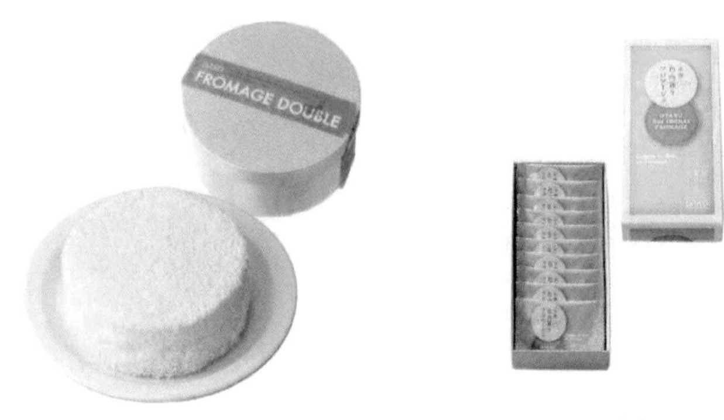

<사진 www.letao.jp 홈페이지>

오타루에서 시작된 르타오(LeTAO)는 홋카이도의 인기 디저트 전문점으로 '더블 프로마쥬 치즈 케이크(ドゥーブルフロマージュチーズケーキ)'와 '오타루 이로나이 프로마쥬(小樽色内通りフロマージュ)'가 대표 상품이다.

더블 프로마쥬 치즈 케이크는 부드럽고 진한 치즈향이 매력적이며, 오타루 이로나이 프로마쥬는 바삭한 쿠키와 짭짤한 치즈 그리고 달콤한 초콜릿이 환상적인 조화를 이루며, 상온 보관으로 선물로 사오기에도 좋다.

다이마루 삿포로점 지하 1층, 신치토세 공항 면세점, 오타루의 르타오 매장 등에 있다.

[가루비의 자가포쿠루]

<사진 www.calbee.co.jp 홈페이지 >

일본의 어느 공항에 가든지 꼭 보는 제품 '자가포쿠루(じゃがポックル)'는 일본 내 감자과자 대명사 가루비(Calbee)의 제품이다.

100% 홋카이도산 감자를 사용하고 있는 이 과자는 껍질이 붙은 통째로 컷한 짭짤한 맛과 바삭바삭한 식감이 특징으로, 한번 먹으면 멈출 수 없는 홋카이도 감자 본래의 맛을 느낄 수 있다.

아이들 간식이나 사무실 간식, 맥주 안주 등에 매우 좋은 제품으로 홋카이도 여행을 간다면 꼭 구입해 보길 추천한다.

[카이메이로의 오르골]

<사진 www.kaimeiro.com 홈페이지>

삿포로역에서 JR전철을 타고 오타루역에서 15분, 사카이마치도리에는 오르골 전문점(オルゴール堂) ‘카이메이로(海鳴楼)’가 있다.

한때 은행 건물이었던 석조양식의 역사적 건축물을 리뉴얼한 이곳은 좋아하는 곡이나 상자를 선택할 수 있을 뿐만 아니라 가게에는 없는 곡도 넣을 수 있는 맞춤제작 오르골도 판매하고 있다.

여행객들에게는 약 400곡 중에서 원하는 곡을 골라 직접 만들 수 있는 체험 상품이 인기다.

[삿포로의 삿포로 클래식&유키지루시 메그미루크의 소프트가쓰겐]

<사진 www.sapporobeer.jp 홈페이지 / 雪印メグミルク 제공>

현지 주민이 애용하는 슈퍼마켓에서 그곳에만 있는 음식이나 물건을 구매하는 것은 여행의 색다른 즐거움이 된다.

홋카이도에 탄생한 편의점 세이코마트(セイコーマート)에는 홋카이도 한정 맥주인 삿포로(SAPPORO)의 '삿포로 클래식(サッポロクラシック)', 홋카이도 한정 유산균 음료인 유키지루시 메그미루크(雪印メグミルク)의 '소프트 가쓰겐(ソフトカツゲン)'이 여행객들을 사로잡고 있다.

이외에도 홋카이도산 우유를 듬뿍 사용한 찹쌀떡, 홋카이도산 연어 육포, 콜라맛 청량음료 가라나(ガラナ) 등도 홋카이도의 마트에서만 살 수 있다.

[와카사이모혼포의 와카사이모]

<사진 わかさいも本舗 제공>

홋카이도의 독특한 화과자를 선물하고 싶다면 고구마를 사용하지 않고 군고구마를 표현하고 싶다는 취지에서 탄생한 와카사이모혼포(わかさいも本舗, Wakasaimo)의 '와카사이모(わかさいも)'를 추천한다.

와카사이모는 콩을 원료로 흰 앙금을 사용하여 만든 만쥬로 흰 앙금과 겉은 감싸고 있는 빵이 조화를 이루어 부드러운 식감이 일품이다. 유통기한은 제조일로부터 29일이기 때문에 선물용으로 손색이 없으며, 어르신은 물론 아이들 간식으로 매우 좋다.

와카사이모 본점 및 각 지점, 신치토세 공항, 마루이 이마이 백화점 지하1층 등에서 판매하고 있다.

[스노우치즈의 스노우 화이트치즈]

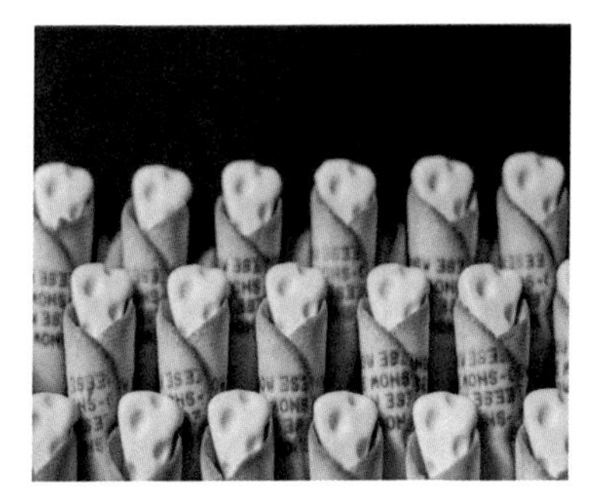

<사진 www.snowcheese.jp 홈페이지>

스토우치즈(SNOW CHEESE, スノーチーズ)는 2022년에 탄생한 새로운 디저트 브랜드로 '스노우 화이트치즈(SNOW WHITE CHEESE, スノーホワイトチーズ)'와 '스노우 골드치즈(SNOW GOLD CHEESE, スノーゴールドチーズ)'가 현재 삿포로에서 가장 핫한 선물이다.

다이마루 지하 1층 식품관에만 입점 되어 있어 오픈 시간이 되면 쿠키를 사려는 사람들로 백화점 밖까지 줄을 서 있고, 오픈 2시간 이내에 모든 상품이 매진된다.

유통기한이 90일까지인 한정판 과자이니 삿포로를 여행한다면 꼭 한번 들러보자.

[나토리의 치즈 in 가마보코]

<사진 なとり 제공>

홋카이도의 공장에서 만들어진 어묵!

전국 돈키호테 등의 히트 상품인 나토리(なとり)의 ‘치즈 in 가마보코(チーズ in かまぼこ)’는 진하고 깊은 치즈의 맛을 즐길 수 있는 일본식 어묵이다. 어묵이라고는 믿기지 않을 정도의 세련된 패키지가 인상적이며, 개별 포장이 되어 있어 먹기에 편하다.

남녀노소 누구나 좋아하는 간식거리, 술안주 등으로 매우 좋고, 가격도 저렴한 편이라 관광객들에게 선물용으로 인기 만점이다.

[유라크 제과의 시로이 블랙 썬더]

<사진 有楽製菓株式会社 제공>

홋카이도에서 가성비 좋은 선물을 찾고 있다면 망설일 필요 없이 '시로이 블랙 썬더(白いブラックサンダー)'를 떠올리자. 유라크 제과(有楽製菓)의 홋카이도 버전인 이 제품은 밀크 초콜릿 과자를 화이트 초콜릿으로 한 번 더 감싸 두 가지의 맛을 동시에 느낄 수 있다.

1개에 40~50엔 정도로 가격이 무척 저렴하지만 비싼 과자에 뒤지지 않을 정도로 식감과 초콜릿의 퀄리티가 뛰어나며, 유통기한도 180일이나 되어 가볍게 나누어 주기 좋은 선물로 좋다.

신치토세 공항 면세점에 가면 구입할 수 있다.

[쇼콜라티에 마사루의 쇼콜라 브라우니]

<사진 www.masale.jp 홈페이지>

파리에서 맛본 초콜릿에 영감을 얻어 탄생한 브랜드 쇼콜라티에 마사루(ショコラティエ マサール)는 1925년 밀크캐러멜로 히트를 친 후루야 제과 창업자의 손자인 후루야 마사루가 1988년 홋카이도에 창업한 수제 초콜릿 전문점이다.

가게 내부는 물론 포장과 맛 모두 고급스러움이 넘쳐 홋카이도를 찾는 일본인들은 물론 관광객들의 마음을 사로잡고 있는 이곳의 넘버원 제품은 달콤한 초콜릿으로 코팅된 '쇼콜라 브라우니(ショコラブラウニー)'로 약 60일 상온보관이 가능해 선물용으로 좋다.

쇼콜라티에 마사루 본점 및 삿포로 미츠코시점, 다이마루 삿포로점, 코코노 스스키노점, 신치토세 공항 등에 있다.

[신야의 후라노 유키도케 치즈 케이크]

<사진 株式会社もりもと 제공>

과자 전문점 신야(新谷, shinya)의 '후라노 유키도케 치즈 케이크(ふらの雪どけチーズケーキ)'는 홋카이도 후라노에서 눈이 내리는 풍경을 형상화한 치즈 케이크다.

서벅서벅한 식감의 파이 반죽이 매력적이며, 적당한 산미의 잼이 조화를 이루고 크림으로 토핑을 하여 홋카이도의 눈을 떠올리게 하는 고급스러운 모양과 맛을 갖추고 있다.

장인이 3일에 걸쳐 하나하나 손수 만든 정성이 깃든 상품으로 소중한 사람에게 선물하고 싶은 마음이 들게 한다.

후라노의 신야, 모리모토(もりもと)의 삿포로, 오타루, 에베츠 지점 등에서 판매하고 있다.

제2장. 혼슈

[도쿄바나나월드의 도쿄바나나 카스텔라&도쿄바나나 파이 오리지널 스티커 세트]

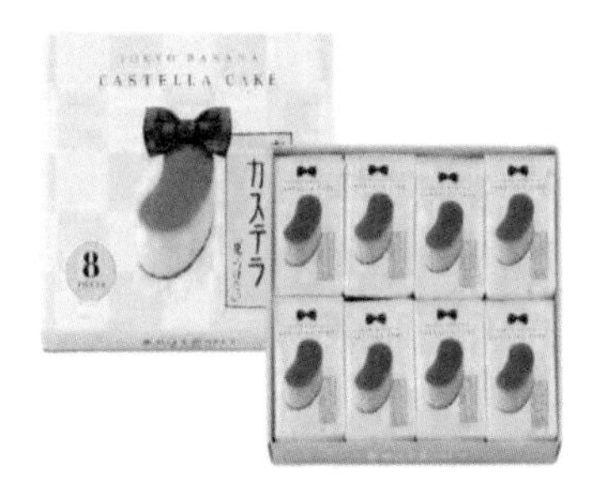

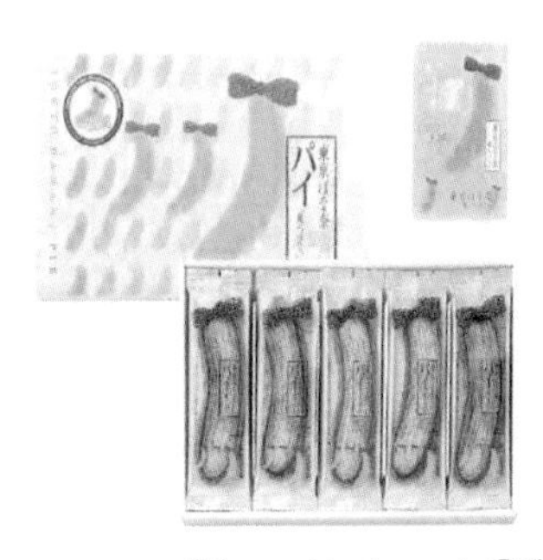

<사진 www.tokyobanana.jp 홈페이지>

외국인들이 도쿄 여행을 갔다 오면 반드시 사오는 선물 중의 하나가 도쿄바나나월드(東京ばな奈ワールド) 상품이다.

특히 '도쿄바나나 카스텔라(東京ばな奈カステラ「見ぃつけたっ)'와 '도쿄바나나 파이 오리지널 스티커 세트(東京ばな奈パイ「見ぃつけたっ)'가 인기가 많다.

도쿄바나나 카스텔라는 바나나 향이 감도는 카스텔라를 도쿄바나나 모양으로 찍어 내었고, 카스텔라의 밑 부분에 박혀 있는 자라메 설탕에서도 은은한 바나나 향이 느껴진다. 도쿄바나나 파이는 바삭한 식감의 바나나 향이 일품이다.

도쿄바나나월드 본점 및 지점, 공항 면세점이나 기념품 가게에 가면 구입할 수 있다.

[긴자넨린야의 마운토바무 싯카리메]

<사진 銀座ねんりん家 제공>

바움쿠헨 전문점 긴자넨린야(銀座ねんりん家)의 '마운토바무 싯카리메(マウントバーム しっかり芽)'도 도쿄 여행객들에게 사랑받는 제품이다.

마운토바무 싯카리메는 깊은 버터 향이 매력적이며, 겉은 향기롭고 속은 촉촉한 프랑스빵과 같은 인상을 풍긴다. 차와 커피 등과 함께 먹으면 정말 맛이 있고, 고급스러운 포장이 눈길을 끈다.

긴자넨린야 본점이나 지점 혹은 도쿄역, 하네다 공항, 나리타 공항, 주요 백화점 등에서 구입할 수 있다.

[도쿄러스크의 프리미엄 아몬드]

<사진 www.tokyorusk.co.jp 홈페이지>

도쿄러스크(東京ラスク)의 ‘프리미엄 아몬드(プレミアム アマンド)’는 계절의 맛을 함께 즐길 수 있는 바삭하고 달콤한 향의 러스크(식빵을 이용해 만든 과자의 일종)이다.

입에 잘 녹고 씹히는 맛이 좋은 러스크를 만들기 위해 빵부터 개발한 상품으로 고품질의 버터와 밀가루를 사용하고 있다.

프리미엄 아몬드는 페어리 케이크 페어 도쿄역 그랑스타점(도쿄도 치요다구 마루노우치 1-9-1 JR동일본 도쿄역 구내 B1F)에서 만나볼 수 있다.

[토키와도우의 가미나리 오코시]

<사진 www.tokiwado.tokyo 홈페이지>

'가미나리 오코시(雷おこし)'는 쌀, 설탕, 물엿, 땅콩으로 만든 오코시(粔籹)의 일종으로 도쿄도 다이토구 아사쿠사 소재의 토키와도우(常盤堂)에서 제조, 판매하고 있는 화과자이다.

명칭은 아사쿠사의 사원 센소지(浅草寺)의 산문 가미나리몽(雷門, かみなりもん)에서 유래한 것으로 바삭바삭한 식감이 매력적이다.

아사쿠사를 방문하는 많은 관광객들이 행운의 선물로 가미나리 오코시를 사가고 있다.

[후나와의 고구마 양갱]

<사진 www.funawa.jp 홈페이지>

'고구마 양갱(芋ようかん, 이모요캉)'은 1920년 도쿄 아사쿠사에서 창업한 후나와(舟和)의 대표 상품으로, 창업자가 고급과자인 요캉을 누구나 부담 없이 먹을 수 있도록 고구마 양갱을 고안해 내었다.

고구마와 설탕, 소금 등을 사용해 소박하고 자연스러운 풍미로 오랫동안 사랑받고 있다. 다만 생과자로 보존기간이 하루 정도 밖에 되지 않기 때문에 구입할 때 생각해 두어야 한다.

후나와의 화과자는 아사쿠사에 6개점, 도내 백화점, 역, 공항 면세점 등에 가면 있다.

[이토엔의 오이오차]

<사진 www.itoen.co.jp 홈페이지>

1966년에 설립되어 세계 판매 1위인 녹차 기업 이토엔(伊藤園)의 '오이오차(お～いお茶)'는 일본의 자판기, 편의점, 마트, 돈키호테, 백화점 등에서 쉽게 볼 수 있는 일본의 국민음료다.

독자적 차 추출 기술과 엄격한 원료 품질 관리를 통해 다기에서 우려낸 녹차의 그윽한 맛과 신선한 향을 느낄 수 있어 가볍게 나누어 주기 좋은 선물로 오이오차 페트병은 물론 티백이나 가루 형태 등 이토엔의 다양한 녹차 상품이 판매되고 있다.

[오리히로의 푸룬토 곤약 젤리]

<사진 www.health.orihiro.com 홈페이지>

일본 여행을 가면 무조건 사 온다는 오리히로(ORIHIRO)의 '푸룬토 곤약 젤리(ぷるんと蒟蒻ゼリー)'는 쫄깃쫄깃하고 상큼한 과일 맛이 입안을 상쾌하게 만들고, 곤약으로 만들어 칼로리도 적어서 선물용으로 제격이다. 포도, 복숭아, 사과, 망고 맛 등 종류도 아주 다양하여 취향대로 골라 담으면 된다.

이 제품은 너무 유명하기 때문에 한국에서도 판매하고 있지만 일본에서 사는 것이 가격이 훨씬 저렴하다. 일본의 마트, 편의점, 돈키호테 등에서 쉽게 찾아볼 수 있다.

[UHA 미각당의 코로로 젤리]

<사진 www.uha-cororo.jp 홈페이지>

일본 여행의 인기 간식 선물로 꼭 손꼽히고 있는 UHA 미각당(UHA味覚糖)의 '코로로 젤리(コロロ)'는 일본에서 유명한 젤리 중의 하나이다.

UHA 미각당은 일본에서 가장 큰 제과 회사의 하나로 UHA 미각당의 코로로 젤리는 과즙 100%의 진한 과실 맛과 탱글탱글하고 촉촉하면서 부드러운 식감이 특징이며 포도, 청포도, 소다, 파인애플 등 여러 가지 맛이 있다.

일본의 돈키호테나 편의점, 슈퍼마켓에 가면 있다.

[후지야의 칸토리마무 초코마미레]

<사진 www.fujiya-peko.co.jp 홈페이지>

2008년부터 2023년까지 16년간 비스킷 부분 매출 1위였던 과자가 바로 일본 후지야(不二家)의 '칸토리마무(カントリーマアム)'라는 쿠키이다.

1984년 판매를 시작한 후로 오랫동안 다양한 맛을 출시하면서 국민적인 사랑을 얻고 있다. 바닐라와 코코아로 구성되어 있으며, 초코칩이 들어 있고 물렁하지는 않고 딱딱한 것도 아닌 식감을 갖고 있다.

일본의 편의점에서 쉽게 볼 수 있으며, 특히 '칸토리마무 초코마미레(カントリーマアム　チョコまみれ)'는 초코가 듬뿍 들어있어 인기가 많다.

[주식회사 용각산의 용각산&용각산 목캔디]

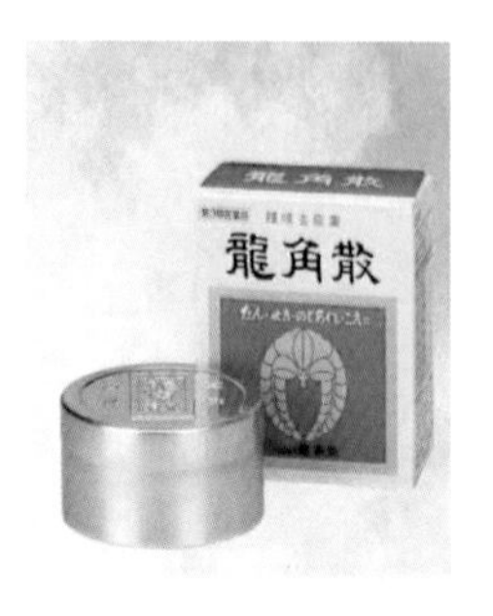

<사진 www.ryukakusan.co.jp 홈페이지>

어르신들의 건강을 생각한 선물을 찾고 있다면 일본의 돈키호테나 드럭스토어 혹은 편의점에 들러 '용각산(龍角散)'과 '용각산 목캔디(龍角散の のどすっきり飴)'를 바구니에 담아보자.

용각산(龍角散)은 일본 제약사 용각산(龍角散, 류카쿠산)에서 개발된 기침, 가래에 좋은 진해거담제로 효능이 매우 좋은 것으로 알려져 있다. 또 200년 전부터 만들어진 용각산을 모티브로 만들어낸 용각산 목캔디(龍角散の のどすっきり飴)도 많은 사랑을 받고 있는데, 독자 개발한 용각산의 허브 파우더와 엄선한 소재의 허브 엑기스를 배합하여 목을 상쾌하게 해주는 캔디이다.

[주식회사 오타이산의 오타이산]

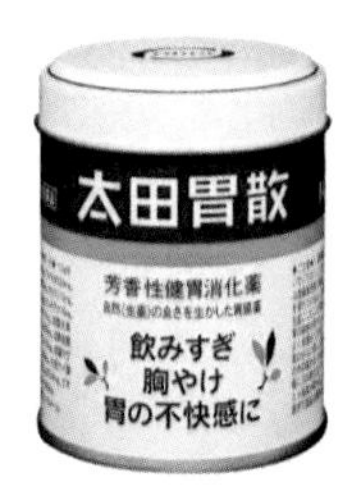

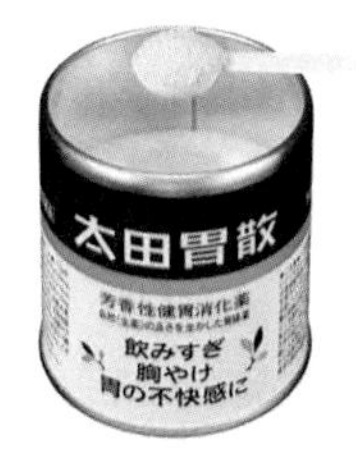

<사진 株式会社 太田胃散 제공>

일본의 국민 소화제로 불리고 있는 주식회사 오타이산(株式会社 太田胃散)의 '오타이산(太田胃散)'은 일본에서 꼭 사와야 하는 품목리스트에 추가해야 하는 여행객들에게 평이 좋은 제품이다.

7종류의 생약과 4종류의 제산제를 배합하였으며, 7종류의 생약이 약해진 위를 건강하게 하고 과식, 명치 언저리의 쓰리고 아픔, 위의 불쾌한 증상에 효과가 있다.

성인(15세 이상)은 1회 1.3g, 8~14세는 1회 0.65g, 8세 미만은 복용하지 않고, 1일 3회 식후 혹은 식간에 물이나 미온수과 함께 복용한다. 돈키호테나 드럭스토어에서 구입할 수 있다.

[다이이치산쿄 헬스케어의 신루루-A]

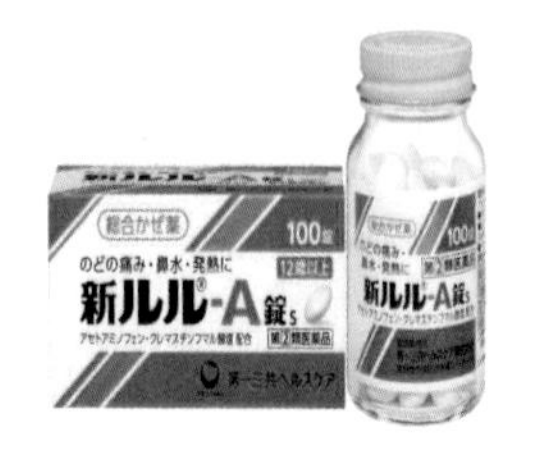

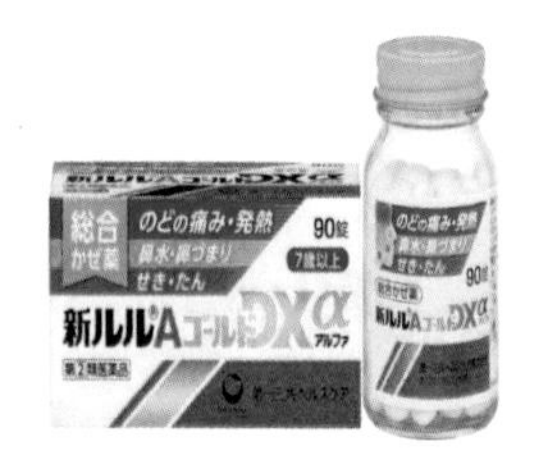

<사진 第一三共ヘルスケア 제공>

일본 여행을 가면 유명 감기약을 상비약으로 사오는 분들이 많이 있는데 그 대표적인 약이 다이이치산쿄 헬스케어(第一三共ヘルスケア)의 ‘신루루-A(新ルル-A)’이다. 기침, 코감기, 열 감기에 먹는 일본의 국민 종합감기약으로 불리고 있는 신루루-A는 9종의 유효성분을 배합해서 만들었다.

콧물, 발열, 가래, 재채기, 코막힘, 두통, 오한, 관절통, 근육통 등이 있을 때 섭취를 하면 좋다. 가벼운 통증이 있을 때에도 미리 섭취를 해주면 예방에 도움이 된다.

돈키호테나 드럭스토어에 가면 구입할 수 있다.

[니치방의 로이히츠보코]

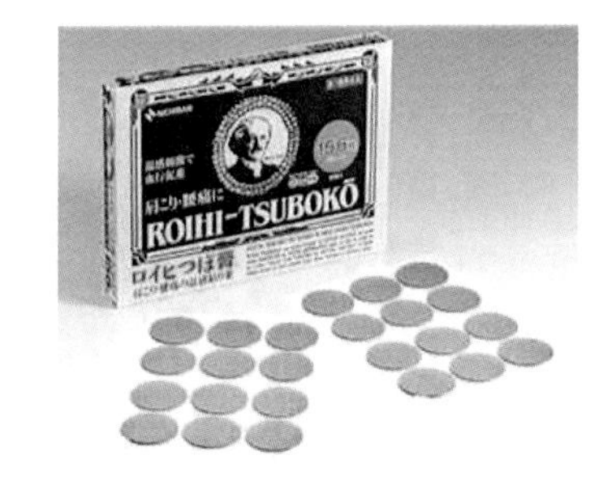

<사진 www.roihi.com 홈페이지>

‘로이히츠보코(ロイヒつぼ膏)’는 일본 니치방(ニチバン) 주식회사에서 만드는 고약, 파스(습포제)로 포장에 약의 개발자 로이히 박사의 얼굴이 그려져 있어 로이히 박사 파스라고도 불린다.

한쪽은 살색 천, 반대쪽은 짙은 갈색으로 소염 진통 성분의 약물이 포함된 점착 부분으로 이루어져 있으며, 붙이면 따끈한 온열감 혹은 냉감이 느껴져 어르신들 선물용으로 제격이다.

효과가 매우 좋다고 입소문이 퍼지면서 관광객들이 일본에 가면 몇 상자씩 사오는 상품으로 대표적으로 돈키호테, 드럭스토어 등에서 판매한다.

[주식회사 바스크린의 키키유 탄산입욕제]

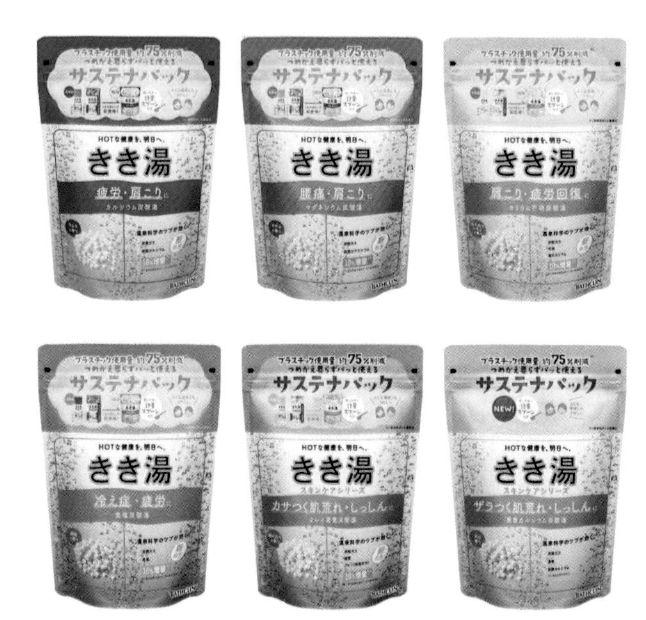

<사진 株式会社バスクリン 제공>

유명 기념품은 실패할 확률이 적다는 장점이 있지만 너무 흔하다는 단점도 있다. 저렴한 가격으로 개성 있는 선물을 하고 싶다면 목욕에 진심인 나라 일본의 생활 필수 아이템인 입욕제는 어떨까?

일본 최고의 입욕제 회사 바스크린(株式会社バスクリン)의 탄산 입욕제 '키키유(きき湯)'는 증상에 맞춰 선택할 수 있

는 6가지 타입의 제품을 선보이고 있는데, 천연 온천에 들어있는 미네랄 성분을 넣어 만들었으며 온천미네랄+탄산가스가 온욕효과를 높여주고 혈액 순환과 신진대사를 촉진시켜 준다.

키키유 '칼슘 탄산탕(カルシウム炭酸湯)'은 피로 회복 및 어깨 결림에 사용되고, '마그네슘 탄산탕(マグネシウム炭酸湯)'은 요통 및 어깨 결림, '칼륨 망초 탄산탕(カリウム芒硝炭酸湯)'은 어깨결림 및 피로회복, '식염 탄산탕(食塩炭酸湯)'은 냉증과 피로회복, '클레이 탄산수소나트륨 탄산탕(クレイ重曹炭酸湯)'은 건조한 피부와 습진, '탄산수소나트륨 칼슘 탄산탕(重曹カルシウム炭酸湯)'은 거칠어진 피부와 습진에 좋다.

잘게 자른 입욕제 입자를 물에 풀면 보글보글 탄산이 터져 피로를 풀어주는데, 욕조에 약 200L의 따뜻한 물과 30g의 비율로 입욕제를 넣고 입욕하면 된다.

드럭스토어나 편의점에 가면 키키유를 만날 수 있다.

[퀄리티 퍼스트의 더마레이저 슈퍼 VC100 마스크]

<사진 www.q1st.jp 홈페이지>

일본 돈키호테 쇼핑리스트 대표 상품 중 하나인 퀄리티 퍼스트(Quality 1st)의 '더마레이저 슈퍼 VC100 마스크(ダーマレーザー スーパー VC100 マスク)'는 피부에 유효 성분들을 더 효율적으로 적용하기 위해 나노 캡슐 기술을 사용한 것이 특징으로, 비타민C 캡슐이 들어있어 피부 미백에 매우 좋다. 하나의 패키지에 7장의 시트 마스크가 들어있으며 보존제, 알코올, 향료 무첨가이기 때문에 민감성 피부도 걱정 없이 사용할 수 있어 여성들에게 선물하면 대만족하는 아이템이다.

[기린의 오후의 홍차 밀크티]

<사진 www.kirin.co.jp 홈페이지>

기린(KIRIN) ‘오후의 홍차 밀크티(キリン 午後の紅茶 ミルクティー)’는 스리랑카산 캔디 찻잎을 20% 사용하여 홍차의 풍부한 향과 밀크의 진한 맛을 느낄 수 있는 일본의 국민 밀크티이다.

기린은 오래된 맥주 기업이지만 일본에서는 종합식품 그룹으로 잘 알려져 있고, 이 회사에서 만든 오후의 홍차는 1986년부터 지금에 이르기까지 많은 종류의 상품을 발매한 일본의 넘버원※ 홍차음료 브랜드이다.

일본의 어느 편의점에 가도 볼 수 있으니 맛있는 밀크티를 선물하고 싶을 때는 오후의 홍차 밀크티를 떠올리자.

※ 인테지 SRI+ 홍차음료시장 2023年1月~12月 누적판매개수

[협동유업의 메이토의 나메라카 푸딩]

<사진 協同乳業株式会社 제공>

일본 푸딩하면 빼 놓을 수 없는 협동유업(協同乳業, メイト一, Meito)의 ‘메이토의 나메라카 푸딩(メイト一のなめらかプリン)’은 계란과 우유, 크림의 맛을 느낄 수 있는 일본 편의점에서 잘 나가는 디저트이다.

가격은 133엔(세금포함)으로 매우 저렴하지만 맛은 고급 푸딩에 뒤지지 않고 사이즈가 작아 식후 먹기에 부담이 매우 적어 일본인들은 물론 여행객들에게도 사랑받고 있는 제품이다. 유통기한은 7일~12일 정도로 보냉 포장을 하면 선물하기에도 좋다.

[마카미의 사슴 뿔 장식 파우치]

<사진 www.makami.jp 홈페이지>

사냥감 가죽으로 제품을 만드는 도쿄 다이토구 쿠라마에에 위치한 마카미(MAKAMI)에는 여성들에게 선물하기 좋은 '사슴 뿔 장식 파우치(鹿の角飾りポーチ)'를 판매한다.

마카미(MAKAMI)란 한때 일본에 서식한 일본 늑대가 신격화한 오구치 마카미에서 유래하여, 늑대를 로고로 사용하고 있다. 사슴 뿔 장식 파우치는 4가지 색상이 있으며, 사이즈도 적당해 가방에 넣고 다니기 좋다.

일본에서 특별한 선물을 하고 싶다면 마카미를 꼭 한번 들려보자. 파우치 외에도 열쇠 및 버스 케이스, 지갑, 가방 등 개성있는 제품이 많이 있다.

[시세이도 팔러 긴자본점 샵의 동백 쇼콜라]

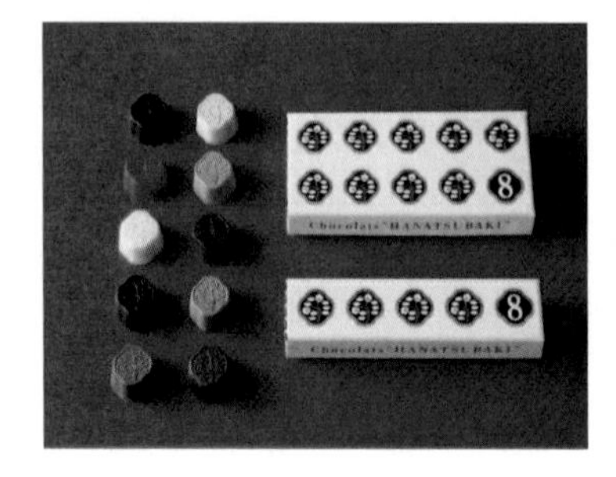

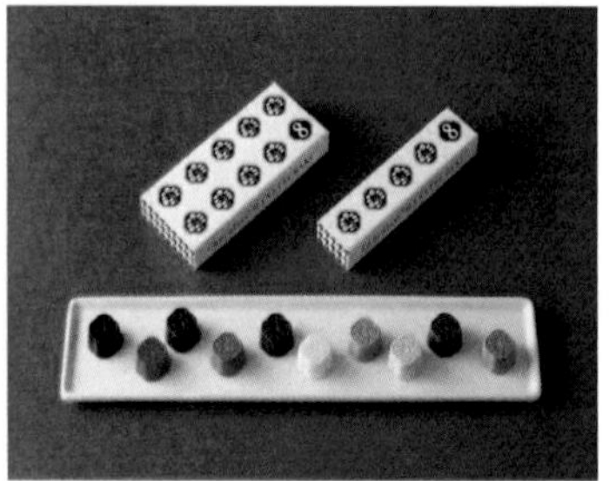

<사진 資生堂パーラー 제공>

도쿄 긴자 시세이도 빌딩 1층에 있는 시세이도 팔러 긴자 본점 샵(資生堂パーラー銀座本店ショップ)은 2019년 11월에 화려하게 리노베이션 후 문을 열면서 도쿄를 방문하는 사람들에게 선물 사기 좋은 장소로 각광받고 있다.

특히 인기가 있는 시세이도의 상징인 동백꽃을 본뜬 '동백 쇼콜라(花椿ショコラ)'는 10가지 종류의 맛이 있으며 취향대로 선택하여 스타일리시한 5개 또는 10개의 선물 상자에 담아 준다. 유통기한은 제조일로부터 10일이고, 계절에 따라 종류도 다르다. 영업시간은 오전 11시부터 저녁 8시30분까지이며, 연말연시에는 정기휴일이다.

주소:東京都中央区銀座8-8-3 東京銀座資生堂ビル1階

[산토리의 호로요이]

<사진 https://products.suntory.co.jp/b/0000001290/ 홈페이지>

일본 산토리(SUNTORY)의 '호로요이(ほろよい)'는 일본의 대표적인 츄하이 중 하나로, 일본 여행객들을 중심으로 입소문을 타며 인기를 얻고 있다.

2009년 일본에서의 첫 출시 이후 매년 높은 성장률을 보이고 있는 호로요이는 과일 향을 베이스로 한 탄산주로 부드럽고 달콤한 맛이 특징이며, 특유의 청량한 느낌은 갈

증을 시원하게 해소시켜 준다. 또 알코올 도수가 3도로 낮아 마시는 동안 가볍고 편안하게 즐길 수 있다는 것이 장점으로 여성들의 입맛을 사로잡았다.

특히, 요거트 칵테일 맛의 '화이트사워(白いサワー)'는 일본 내에서 인기 높은 제품으로 유명하다.

한국에서 350㎖ 용량의 화이트사워(white sour), 피치(peach), 그레이프(grape) 총 3가지 맛이 출시된 바 있기 때문에 일본에서 호로요이 선물을 사고 싶다면 한국에서는 맛볼 수 없는 다른 맛(아이스티, 매실, 백포도, 비타민음료, 레몬감귤 맛 등)을 골라 담는 센스를 발휘하자.

일본에서 1캔에 100엔~150엔에 사 먹을 수 있는 반면, 한국에서는 1캔에 3,600원으로 책정되어 있다. 깔끔한 디자인이 돋보이는 호로요이 탄산주는 일본의 어느 편의점에서도 볼 수 있다.

[토라야의 양갱, 밤의 매화]

<사진 www.toraya-group.co.jp 홈페이지>

토라야(とらや)는 15세기(무로마치시대) 후기에 교토에서 창업하여 1869년 도쿄의 수도 이전에 따라 교토의 가게를 그대로 두고 도쿄에 진출하였고, 그 후 해외에서도 일본의 와가시(화과자)를 널리 알리고 있다. 토라야는 각종 화과자에 맞춰 강도와 당도를 조절하며 앙금을 만들고 있다. 그 중 양갱 전용의 앙금은 팥을 삶아 팥소를 만들고, 한천을 끓여서 녹인 후 설탕을 더해 천천히 반죽을 하는데 이 작업은 완성까지 3일이 걸린다. 토라야의 양갱 중 가장 대표적인 양갱은 '밤의 매화(夜の梅, 요루노우메)'로 양갱의 단면에 보이는 팥을 밤의 어둠 속에 피어있는 매화로 이미지화하여 붙여진 이름이다. 직영점 이외에 도쿄의 백화점, 공항 면세점, 주요 역의 판매점에서 구입할 수 있다.

[고게츠의 센쥬 센베]

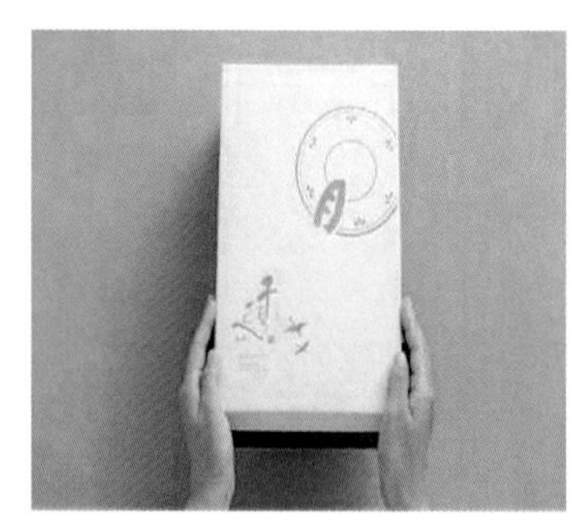

<사진 www.kogetsu-ec.com 홈페이지>

'센쥬 센베(千寿せんべい)'는 1963년 고게츠(鼓月)가 새로운 시대에 어울리는 맛의 과자를 찾아 독일 기계를 주문하며 창업한 바펠 과자점이다.

물결 모양의 쿠키 반죽에 버터의 풍미가 가득한 가벼운 슈가 크림을 샌드한 참신한 소재와 제법을 사용하여 만든 센베로 저수분 버터를 사용하여 버터 본연의 맛이 나며, 계절이나 온도에 따라 버터 크림의 배합이 조정되고 있어서 항상 일정한 식감과 맛의 센베를 먹을 수 있다.

간사이 지역의 편의점, 교토역의 매점 등에서 구입할 수 있으며, '프리미엄 센쥬 센베'는 고즈키의 점포나 교토역의 역매점에서 살 수 있다.

[나카무라 도키치 본점의 진한 말차 초콜릿]

<사진 www.tokichi.jp 홈페이지>

나카무라 도키치 본점(中村藤吉本店)은 1854년에 창업한 165년 이상의 역사를 지닌 말차 디저트로 유명한 찻집으로, 교토부에는 나카무라 도키치 매장이 여섯 곳이 있다.

특히 나카무라도키치 본점에는 엄선된 말차를 아낌없이 사용한 '진한 말차 초콜릿(濃いめの抹茶チョコレート)'이 교토 여행 간식 선물로 인기다. 이 초콜릿을 먹어본 사람들의 입소문에 따르면 먹는 순간 풍부한 말차 향과 함께 입에서 살살 녹는 식감이 일품이라고 한다. 고급스러운 포장도 눈길을 끌어 센스 있는 선물로 사랑받고 있다.

나카무라도키치 본점, 뵤도인점, 교토역점, JR 교토 이세탄점, 다이마루 교토점, 시조점 등에서 판매하고 있다.

[마르블랑슈 교토 기타야마의 차노카]

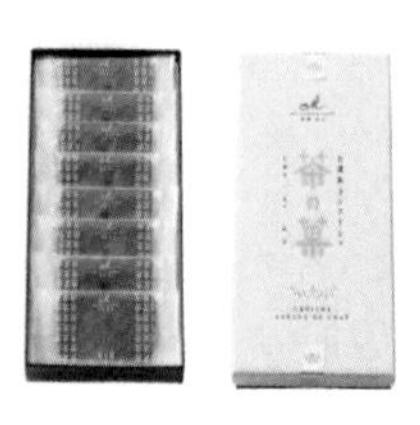

<사진 www.malebranche-shop.jp 홈페이지>

마르블랑슈 교토 기타야마(MALEBRANCHE 京都 北山)의 '차노카(茶の菓)'는 랑드샤에 화이트 초콜릿을 샌드한 진한 말차의 깊이를 느낄 수 있는 명과이다.

진한 랑드샤 과자만을 위해 사용되는 찻잎은 우지시라카와에서 자란 찻잎 중에서도 가장 좋은 찻잎만을 사용하여 모두 맷돌로 갈아 준비한다. 맷돌로 갈아낸 찻잎은 매우 향기롭고 본래의 풍미가 최대한 끌어난다고 한다.

샌드되는 초콜릿도 차향이 살아나도록 너무 달지 않게 조절하여 회사 상사나 소중한 사람에게 줄 선물로 안성맞춤이다.

[훈옥당의 인센스 스틱 6종 세트]

<사진 www.shop.kungyokudo.co.jp 홈페이지>

훈옥당(薫玉堂, 쿤교쿠도)은 1594년 교토 혼간지(本願寺) 출입구에서 약재를 파는 장수로부터 시작된 일본에서 현존하는 가장 오래된 향 회사이다. 천연 향료를 중심으로 한 조향기술을 기초로 현대의 라이프스타일에 어울리는 다양한 향들을 선보이고 있다. 특히, 훈옥당의 '인센스 스틱 6종 시향(試香 朱)'은 교토의 정취를 느낄 수 있는 6가지 향의 인센스 19 스틱과 황동 인센스 홀더가 들어있어 교토를 찾는 관광객들이 선물로 많이 찾는다.

인센스 스틱에 불을 붙여 보면 어지러웠던 머릿속이 어느새 비워지며 긴장되어 있던 몸과 마음이 서서히 편안해 지는 것을 느낄 수 있다. 훈옥당 본점은 호리카와도오리 니시혼간지 앞에 있다.

[벨 아메르 교토 벳테이의 스틱 쇼콜라]

<사진 BELAMER京都別邸 제공>

교토의 초콜릿 전문점 벨 아메르 교토 벳테이(ベルアメール京都別邸)는 숙련된 장인이 아름다운 초콜릿을 만드는 가게이다.

벨 아메르 교토 벳테이 산조점(ベルアメール京都別邸 三条店)은 100년 이상 된 전통 가옥 마치야를 개조한 가게로 1층은 샵, 2층은 카페로 꾸며져 있어 초콜릿을 좋아하는 여행객이라면 꼭 한번은 들러봐야 할 곳이다.

다양하고 화려한 초콜릿들이 시선을 모으는 벨 아메르 교토 벳테이의 추천 상품인 '스틱 쇼콜라(スティックショコラ)'는 15종류의 맛을 선택할 수 있는 인기 넘버원 제품으로 예쁜 상자에 담아주어 선물하기 너무 좋다.

[잇포도차호 교토 본점의 특선 센차]

<사진 一保堂茶舗 京都本店 제공>

교토에서 가장 유명한 찻집인 잇포도차호 교토 본점(一保堂茶舗 京都本店)은 300년이 넘은 역사 깊은 일본차 전문점이다. 이곳에는 교토 본점 한정 상품인 '특선 센차 50g(特撰煎茶50ｇ袋)'을 판매하며 일본 관광객들에게 선물의 즐거움을 선사하고 있다.

1,620엔(세금포함)의 적당한 가격으로 판매되고 있는 이 상품은 싱싱하고 부드러운 새싹을 정성을 들여 완성한 센차로 바늘처럼 가늘고 아름다운 찻잎이 매력적이다.

초여름의 차밭처럼 푸르고 상쾌한 향과 단맛이 퍼지는 희귀한 차이기 때문에 교토 본점에서만 한정 판매하고 있다.

[미자루 이와자루 키카자루]

<사진 www.namu.wiki 홈페이지>

도치기현 닛코 여행을 계획하고 추억이 남을 만한 선물을 사고 싶다면 동조궁(東照宮, 도쇼구) 근처의 기념품 가게에서 '미자루 이와자루 키카자루(見ざる言わざる聞かざる)'와 관련된 장식품을 구입하면 된다.

'자루(ざる)'는 '원숭이'와 '~하지 않는다'라는 뜻이 포함되어 있는데 '미자루(見ざる)'는 보지 말고, '이와자루(言わざる)'는 말하지 말고, '키카자루(聞かざる)'는 듣지 말라는 뜻이다. 도쇼구는 이와 같은 의미를 지닌 '미자루 이와자루 키카자루'라는 세 원숭이가 유명한데 타인의 힘든 때와 단점, 결점 등 나쁜 것은 보지도 듣지도 말하지도 말라는 교훈이 담겨 있다.

[아카후쿠의 아카후쿠모치]

<사진 www.akafuku.co.jp 홈페이지>

‘아카후쿠모치(赤福餅)’는 미에현 이세시의 아카후쿠(赤福) 본점의 화과자이다. 미에현의 유명한 기념품인 아카후쿠모치는 부드러운 찰떡을 달콤하고 부드러운 단팥 위에 굴려서 만든 남녀노소가 매우 먹기 좋은 떡으로, 먹는 방법은 함께 들어있는 작은 나무주걱으로 하나씩 떼어서 먹는 것으로 부드럽고 고운 식감이 일품이다.

에도시대 초기부터 판매되었다고 전해지는 아카후쿠모치는 300년 이상 그 맛과 명성을 유지하고 있으며, ‘아기와 같이 순진무구한 모습으로 자신이나 타인의 행복을 기뻐한다’는 의미를 지니고 있다.

[슌카도의 장어파이]

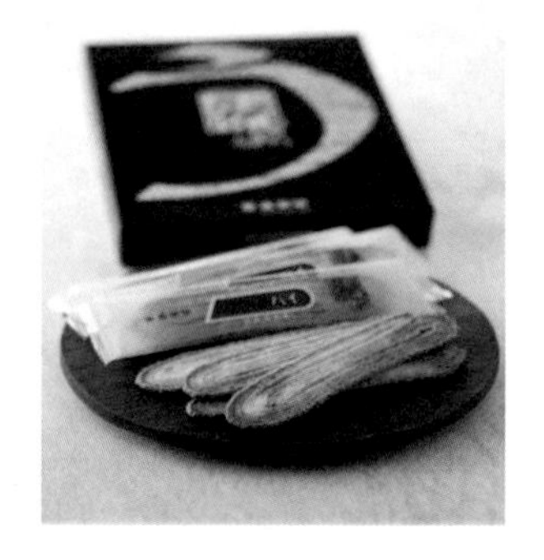

<사진 春華堂 제공>

시즈오카의 명물 ‘장어 파이(うなぎパイ, 우나기 파이)’는 슌카도(春華堂)의 2대 사장이 고안해낸 과자로, 1961년 처음으로 판매된 역사 깊은 과자중의 하나로 자리잡았다.

우나기는 장어라는 뜻인데 우나기 파이의 발생지인 하마마츠가 장어로 유명한 지역이기 때문에 장어 파이가 나오게 되었다는 이야기가 있다.

장어 파이는 실제로 장어엑기스를 발라 구운 파이로 비타민 A가 매우 풍부하여 어른 간식 선물로 매우 좋으며, 시즈오카에서 매우 유명하기 때문에 시즈오카역 뿐만 아니라 웬만한 역 주변에서 대부분 구입할 수 있다.

[아카베코]

<사진 www.ja.wikipedia.org 홈페이지>

'아카베코(赤べこ)'는 후쿠시마현의 아이즈 지방에서 액운으로부터 지켜주고 길조의 상징으로 알려진 소의 형태를 하고 있는 향토완구이다. '아카'는 빨강이고 '베코'란 일본 도호쿠 지방 방언으로 '소'라는 의미를 가지고 있는 도호쿠 지방의 관광 특산품이다. 복을 가져다주고 튼튼함과 건강함을 상징하는 존재로 순산을 기원하는 부적으로, 틀에 종이를 여러 겹 붙여서 말린 뒤 그 틀을 빼내어 만드는 종이 세공 방식으로 목 부분이 흔들흔들 움직이는 것이 재미있다.

후쿠시마현의 기념품 가게나 일본 각 지방의 특산품을 파는 아사쿠사 근처의 백화점 마루고토닛폰(まるごとにっぽん) 등에 가면 아카베코가 있다.

[사루보보]

<사진 www.ja.wikipedia.org 홈페이지>

'사루보보(さるぼぼ)'는 기후현의 다카야마를 포함한 히다 지방에서 옛날부터 전해 내려오는 인형으로 '사루'는 원숭이를 뜻하고 '보보'는 기후현의 방언 히다벤으로 아기라는 의미가 담겨져 있다. 즉, 사루보보는 아기 원숭이라고 할 수 있다.

사루보보는 중국에서 전래되었고 자녀, 순산, 인연, 자녀의 성장, 무병장수를 기원하는 의미가 담겨 있다. 빨간 몸에 까만 천으로 된 옷을 입고 둥근 얼굴엔 아무런 이목구비가 없는 것이 특징이지만, 지금은 색깔이 매우 다양하고 색깔 따라 기원의 의미도 다르다. 노란색은 금전운을 뜻한다. 사루보보는 다카야마 기념품 거리에서 수시로 만날 수 있다.

[마네키네코]

<사진 www.ko.wikipedia.org 홈페이지>

'마네키네코(招き猫)'는 앞발로 사람을 부르는 형태를 한 고양이 장식물로 주로 상가 등에 장식하여 번창을 기원하는 물건의 일종이다. 오른쪽 앞발을 들고 있는 고양이는 돈을 부르고, 왼쪽 앞발을 들고 있는 고양이는 손님을 부른다고 전해진다. 삼색고양이 흰색, 검은색, 갈색이 일반적이고, 금색, 흑색도 있다.

명산지는 군마현 다카사키시 근교 등으로 다른 특산품인 다루마(달마)와 함께 대형의 일본지를 붙여 만드는 동일한 제조법으로 생산하고 있다. 일본의 거의 모든 상점에는 하나씩 마네키네코가 있을 정도라 외국인들이 가장 많이 사오는 선물 중 하나가 되었다.

[다루마]

<사진 www.ko.wikipedia.org / www.namu.wiki 홈페이지>

‘다루마(達磨, 달마)’는 약 200년 전에 탄생한 오랫동안 애용되어온 장식물이다. 손과 발이 없는 독특한 모양은 대사가 좌선을 한 모습을 본뜬 것이며, 붉은색은 법의의 색을 상징한다. 최근에는 황색이나 금색 등 여러가지 색상으로 생산되고 있으며 크기와 디자인도 다양하다. 오뚝이처럼 몇 번을 넘어져도 다시 일어나는 모습이 나쁜 일이 일어나도 다시 일어서는 불굴의 정신을 상기시켜주어 상점의 개업이나 선거, 수험 선물로 활약하고 있다.

전국적으로 80%의 시장 점유율을 자랑하는 군마현 다카사키시에는 다루마만을 파는 시장인 다루마이치(達磨市)가 매년 1월6일 열리고 있다. 다루마는 각 지역의 기념품 가게에서 쉽게 찾아볼 수 있다.

[몬쉘의 도지마롤]

<사진 www.mon-cher.com 홈페이지>

2003년 오사카의 비즈니스 타운인 도지마의 작은 베이커리였던 '몬쉘(モンシェール)'은 신선하고 좋은 재료와 숙련된 제조방식을 이용해 만든 '도지마롤(堂島ロール)'이 큰 인

기를 모으며 일본에서 롤케이크 열풍이 일어났고 일본 디저트 시장의 판도를 바꾸어 놓았다.

도지마롤은 재일교포 3세인 김미화 대표가 개발하여 더욱 눈길을 끌었으며, 한국에서는 일본에 가면 꼭 먹어야 하는 디저트로 입소문이 나기 시작하면서 2013년 한국에도 '몽슈슈'라는 이름으로 진출해 지금까지 꾸준한 사랑을 받고 있다.

몬쉘의 다양한 디저트는 오사카의 한큐백화점 등의 몬쉘 매장에서 구입할 수 있으며, 간사이 공항에서만 판매하고 있는 스페셜 도지마롤인 '도지마 블랑롤'은 오리지널 도지마롤의 크림과 벨기에 초콜릿 명가 '카레보'의 화이트 초콜릿을 콜라보한 제품으로 선물용으로 강력 추천한다.

[551 호라이의 부타망]

<사진 www.551horai.co.jp 홈페이지>

551 호라이(551 Horai)는 간사이 지역을 중심으로 하는 체인으로 특히 오사카에 대부분의 점포가 몰려있어 오사카 여행객들이 선물로 인기 먹을거리인 '부타망(豚まん)'을 많이 사간다고 전해진다.

이곳에는 부타망을 비롯해 야키교자(군만두), 에비슈마이(새우딤섬)을 메인으로 팔고 있다. 부타망은 양념된 돼지고기를 넣은 찐빵으로 포장을 하면 서늘한 곳에서 3일 동안 보관 가능하다. 부타망에는 겨자소스를 챙겨주므로 겨자와 함께 찍어먹으면 그 맛이 배가 된다.

[아오키쇼후안의 츠키게쇼]

<사진 青木松風庵 제공>

아오키쇼후안(青木松風庵)의 '츠키게쇼(月化粧)'는 일본 현지인들에게도 오사카의 선물거리로 인기가 많은 만쥬이다. 홋카이도 산의 최고급 강낭콩과 백앙금의 팥소에 엄선된 버터와 고소한 연유를 아끼지 않고 배합하여 만든 달콤하고 부드러운 밀크 만쥬는 녹차나 커피, 우유 등과도 매우 잘 어울려 남녀노소 누구나 좋아하는 과자이다.

식품계의 올림픽으로 불리는 몬드셀렉션에서 11년 연속 최고 금상을 수상하며 세계무대에서 그 맛은 인정받은 먹을거리로 소중한 분들에게 전하는 답례품이나 간단한 선물로 훌륭하다.

오사카 츠키게쇼 난바점이나 간사이 공항 면세점에 가면 만날 수 있다.

[아사히주조의 쿠보타 만쥬]

<사진 www.asahi-shuzo.co.jp 홈페이지>

일본 니가타현에 위치한 아사히주조(朝日酒造)에서 만든 200년의 전통을 지켜온 최고급 사케 '쿠보타 만쥬(久保田萬寿)'는 니가타를 대표하는 술로 상쾌하고 잡미가 전혀 느껴지지 않는 깔끔한 맛이 일품이다.

니가타현은 고시히카리 쌀의 주 생산지며 지역 평균 기온이 낮아 효모와 누룩 배양이 잘되어 사케를 생산하기에 적합한 지역적 특성을 갖고 있다. 1년에 걸쳐 안정적으로 생산하고 있고 판매점에 가면 적정 가격에 구입할 수 있는 이 사케는 준마이다이긴조 등급으로 약간 차갑게 해서 마시거나 상온(15°~25°)으로 마시는 것이 가장 좋다. 일본의 주요 공항 면세점이나 백화점에 가면 있다.

▸ 사케 상식

일본의 술(니혼슈)인 '사케'란 한국 청주의 또 다른 명칭으로 쌀을 주원료로 발효시켜 만든 술에서 밑에 뿌옇게 가라앉은 것이 탁주, 위에 투명하고 맑은 것이 청주이다. 즉, 탁주는 막걸리, 청주는 사케이다.

한 일화이긴 하나 술 만드는 과정에서 깨끗한 것은 일본이 가지고 가고, 탁한 것은 한국이 가져갔다고 하여 한국의 전통주는 막걸리, 일본의 전통주는 사케가 되었다는 이야기가 있다.

사케는 정미율에 따른 등급이 있다. 정미율이 낮을수록 고급술로 여겨지는데 정미율이 50% 이하일 때 다이긴죠, 60% 이하일 때 긴죠, 70% 이하일 때는 혼죠조로 나뉜다.

다이긴죠가 가장 쌀을 많이 깍아낸 쌀로 빚은 술이기 때문에 고급으로 여겨진다. 다이긴죠 중에서도 정미율이 40% 이하인 술은 최고급 술로, 구하기 힘들고 가격도 매우 비싸다. 즉, 혼죠조<도쿠베츠 혼죠조<준마이<도쿠베츠 준마이<긴죠<준마이 긴죠<다이긴죠<준마이 다이긴죠 순으로 오른쪽으로 갈수록 비싼 등급으로 준마이 다이긴죠가 가장 비싼 술이다. 준마이는 양조용 알코올이 첨가되지 않고 순쌀로만 만들어낸 술이라는 의미이고, 도쿠베츠는 특별한 제조 방법이라 더 비싼 것이다.

사케는 두 가지 맛으로 표현을 한다. 한 가지는 '카라구치'라고 하여 달지 않은 사케를 의미하고, '아마구치'는 말 그대로 달콤한 사케라는 뜻으로 사케 초보자들이 즐겨 찾는 맛이다. 최근에는 향긋한 과일 향을 첨가한 사케들이 등장하며 사케 초보자들은 물론 사케 마니아들에게 인기가 많다.

사케의 맛을 결정하는 중요 성분 중 하나는 유기산이다. 이 유기산은 사케의 산미와 맛을 결정해 주는 역할을 하며, 이 유기산의 함유량을 상대적으로 표시한 것이 산도이다. 산도가 낮으면 소주와 같은 깔끔한 느낌이 나고, 산도가 높으면 과일주스처럼 점성이 있는 느낌이 든다. 일본은 사케의 종류가 수천가지에 달할 정도로 다양한 맛의 사케와 종류가 있다.

니혼슈를 마실 때는 도쿠리, 히레, 마츠 등의 용기를 사용하여 마신다. '도쿠리(병)'은 자기로 만든 자그마한 술병에 술을 담그는데 술을 데우기 위해 사용하며, '히레'는 술잔으로 역시 술을 데울 때 사용한다. '마츠'는 주로 나무로 만든 사각용기로 잔 받침으로 사용하거나 직접 술을 담아 마신다.

또 '츠노다루'라는 것도 있는데 축하할 때 술을 선사하는데 사용되는 곧추 세운 두 개의 큰 손잡이가 달린 붉은 칠을 한 통이다.

[파스코의 나고양]

<사진 Pasco 제공>

60년 전통을 지닌 아이치현의 나고야를 대표하는 명과로 잘 알려져 있는 파스코(Pasco, パスコ) 의 ‘나고양(なごやん)’은 국산 밀 카스텔라 반죽으로 부드러운 노란 팥소를 감싼 구운 과자이다. 사용된 밀의 55%가 아이치현산 키누아카리 품종이다.

나고양은 촉감이 부드럽고 절제된 맛이 나며 블랙커피나 우유 등과 함께 먹으면 맛이 있다고 소문이 난 훌륭한 디저트로 선물용으로도 손색이 없다.

나고야 주부 국제 공항 면세점에서 판매하고 있다.

[반카쿠소우혼포의 에비 센베 유카리]

<사진 www.bankaku.co.jp 홈페이지>

일본 유학생들이 고국에 돌아갈 때 선물로 가장 많이 사간다고 알려져 있는 반카쿠소우혼포(坂角総本舗)의 에비(새우) 센베 '유카리(ゆかり)'는 에도 시대의 제법에 유래하는 장인의 기술로 구워내기까지 7일 이상 걸리는 원조 새우 센베이다. 1매에 약 70%의 천연 새우를 사용하고 있으며, 1매당 21kcal의 풍부한 단백질과 칼슘, 저탄수화물로 제조를 하였고, 지방이 적은 새우를 오랫동안 구워내 기름지지 않은 식감이 선물을 받는 사람의 기분을 좋아지게 만드는 고급스러운 과자이다.

아이치현 토카이시에 본점이 있지만 워낙 유명하기 때문에 일본의 주요 백화점에 가면 볼 수 있다.

[아오야기 소우혼케의 개구리 만쥬]

<사진 青柳総本家 제공>

JR 나고야역에 있는 수많은 먹거리 상점 중 특히 눈길을 끄는 한 가게가 있는데 바로 아오야기 소우혼케(青柳総本家)이다. 이곳에는 재미있는 모양의 화과자나 구운 과자를 많이 파는데 그 중 '개구리 만쥬(カエルまんじゅう)'는 나고야를 방문하는 사람들이 가장 많이 사가는 나고야의 명물이다. 개구리 모양의 만쥬가 먹기 아까울 정도로 너무 귀엽고, 가격도 저렴하며 개구리 모양이 들어간 포장도 특별함을 더해 특히 아이들이 매우 좋아하는 선물이다.

나고야의 아오야기 소우혼케 매장에서 살 수 있고, 도쿄에도 매장이 있다.

[베니야의 구루밋코]

<사진 BENIYA 제공>

베니야(BENIYA)는 약 70년의 역사를 가진 가나가와현 가마쿠라 지역의 과자점으로 스위스의 호두 파이(앵가디너)를 모티브로 제조된 '구루밋코(クルミッ子)'가 유명하다.

전통성을 강조하기 위해 가마쿠라막부의 디자인을 패키징으로 채택하였지만 큰 관심을 받지 못하다가 2008년에 아들이 가게를 이어받으며 가마쿠라 지역의 야생의 다람쥐를 떠올려 호두는 다람쥐라는 지역의 이미지를 살려 다람쥐 일러스트를 채택한 것이 큰 호응을 얻으며 전 연령대를 아우르는 상품으로 탈바꿈했다. 피에르 에르메와 같은 세계적인 과자 브랜드와도 컬래버레이션을 하고 있다.

가나가와현의 베니야 본점 및 지점, 다이마루 도쿄점 등에서 구입할 수 있다.

[브랑카의 쉘레느]

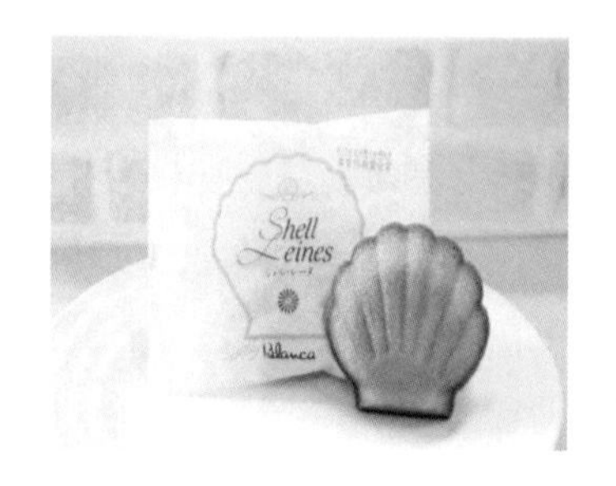

<사진 www.blanca-shop.jp 홈페이지>

미키모토 진주의 산지로 유명한 미에현의 도바시에서 만들어진 브랑카(BLANCA)의 '쉘레느(シェル・レーヌ)'는 진주조개에서 만들어진 천연 진주 쉘 칼슘을 반죽에 섞어 칼슘도 섭취할 수 있는 마들렌이다.

촉촉한 식감과 홋카이도 버터향이 매우 진하게 나며 플레인, 이세차, 파래김의 3종류 외에 기간 한정 초콜릿 맛도 있다. 칼슘이 들어 있어서 아침 식사나 아이들 간식으로 사랑받고 있는 선물로, 소비기한은 1개월 정도로 상온 보존이 가능하다.

공항에서는 찾기 어렵고 브랑카 도바시 본점이나 지점 이외에도 쉘레느를 파는 베이커리 가게에 가면 구입할 수 있다.

[고케시]

<사진 www.ko.wikipedia.org / www.ja.wikipedia.org 홈페이지>

러시아에 목각인형 마트로시카가 있다면, 일본에는 고케시(こけし, 小芥子) 인형이 있다. 고케시는 일본 동북지방의 전통 목각인형으로 일반적으로 구형의 머리와 원주의 몸통뿐인 단순한 형태의 인형에 아름다운 채색을 입힌 것이 매력이다.

고케시는 지방의 현(県)에 따라 조금씩 다른 모양을 가지고 있는데 예를 들어 이와테현에서 생산되는 인형은 채색이 화려하지 않고 순수한 문양을 가진 것이 특징이다.

동북지방의 상징처럼 자리 잡은 고케시 인형은 일본 사람들은 물론 관광객들에게 사랑과 우정을 전하는 선물로서 기념품 가게를 찾고 있다.

[브루봉의 알포트 미니 초콜릿]

<사진 ブルボン 제공>

일본의 돈키호테나 맥스밸류, 편의점 등에서 쉽게 구입할 수 있는 브루봉(ブルボン)의 ‘알포트 미니 초콜릿(アルフォートミニチョコレート)’는 회사 팀원들에게 가볍게 나누어 주기 좋은 매우 저렴하고 맛있는 초콜릿이다.

쿠키와 초콜릿의 절묘한 조화로 한번 먹으면 계속 먹게 되는 중독성 있는 맛으로 부담 없이 구입할 수 있는 간식거리이자 선물이다.

일본인들의 아기자기하고 섬세한 손기술을 느낄 수 있는 초콜릿에 새겨져 있는 배 모양의 그림이 인상적이다.

<브루봉 원고는 2024년 7월 시점의 정보입니다>

[글리코사의 바통도르]

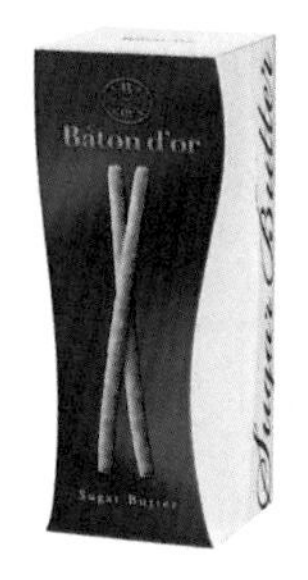

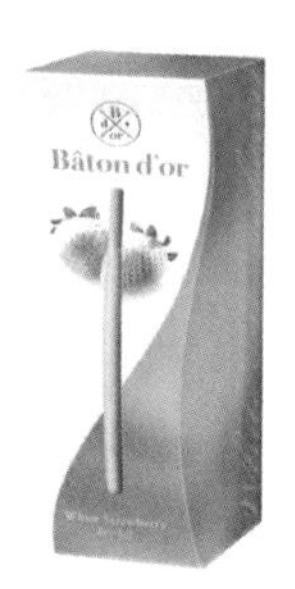

<사진 Glico 제공>

일본 글리코사(Glico)에서 만든 포키(pocky)의 고급버전이 바로 '바통도르(Baton d'or / バトンドール)'이다. 스틱형 과자이기 때문에 부러질 위험이 있는 단점이 있지만 부피도 작고 맛은 고급스러워 여러 명에게 줄 선물을 찾고 있다면 추천하는 상품 중 하나이다.

쇼콜라, 딸기, 말차, 슈가버터, 스트로베리 슈가, 레몬 슈가 등 여러 가지 맛이 있으므로 취향대로 고르면 된다. 2개 이상 구입하면 예쁘게 포장을 해 주는데 일본어로 하코즈메(箱詰め)라고 하니 기억해 두길 바란다.

고베 한큐 백화점이나 간사이 공항에 가면 구입할 수 있다.

[키교야의 키쿄신겐모치]

<사진 桔梗屋 제공>

한국의 인절미와 비슷한 키쿄야(桔梗屋)의 '키쿄신겐모찌(桔梗信玄餅)'는 야마나시현의 110년 이상의 전통을 가진 일본의 대표적인 선물이다.

먹는 방법은 동봉된 이쑤시게 같은 도구로 비닐에 잘 포장된 떡을 함께 동봉된 흙설탕꿀(흑밀)을 뿌려 찍어먹으면 된다.

야마나시현의 대부분에서 판매하고 있지만 맛은 물론이고 여성들의 손에 의해 하나하나 정성스럽게 묶은 보자기 포장으로 인기가 많은 선물이다보니 도쿄의 일부 지역에서도 판매하고 있다.

[프란츠의 딸기 트러플]

<사진 www.frantz.jp 홈페이지>

프란츠(Frantz)의 '딸기 트러플(苺トリュフ)'은 고베의 대표 상품으로 관광객들이 선물로 많이 구입하고 있다.

동결 건조된 통딸기 위에 초콜릿이 코팅되어 있는데 화이트 초콜릿, 화이트 초콜릿 레드버전, 말차 초콜릿 세 종류가 있으며 딸기의 맛은 새콤하고 초콜릿은 매우 부드럽고 맛이 있다.

포장도 두껍고 튼튼한 빨간색 종이상자에 빨간 고무줄이 묶여 있어 고급스러움을 풍긴다.

고베 하버랜드 umie 모자이크 2층이나 간사이 공항에 가면 만나볼 수 있다.

[센다이 명과의 하기노츠키]

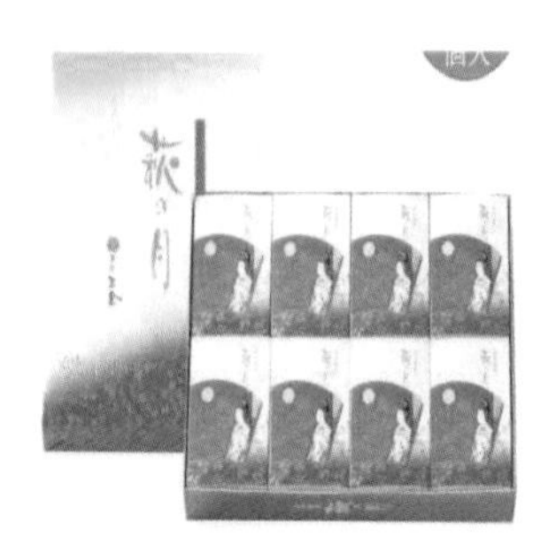

<사진 www.shop.sanzen.co.jp 홈페이지>

도쿄에 바나나 빵이 있다고 하면 미야기현 센다이시에는 '하기노츠키(萩の月)'가 있다. 보름달처럼 노랗고 동그란 센다이명과(仙台銘菓)의 하기노츠키는 카스텔라 빵에 커스타드 크림이 듬뿍 들어가 있어 입안에서 사르륵 녹는 맛이 일품이다.

하기(萩)는 싸리라는 식물을 뜻하고, 츠키(月)는 달이라는 뜻으로, 싸리가 가득 자란 미야기현의 하늘에 뜬 명월을 본떠서 만들었기 때문에 붙은 이름이다.

하기노츠키는 센다이역, 센다이 공항 등 관광객의 이동이 많은 곳에서 손쉽게 구매할 수 있다.

[즌다사료의 즌다모치]

<사진 www.zundasaryo.com 홈페이지>

즌다사료(ずんだ茶寮)의 '즌다모치(ずんだ餅)'는 미야기현을 대표하는 화과자 중의 하나로, 찹쌀을 둥글게 빚은 떡 위에 달콤한 으깬 푸른 된장을 얹은 형태로 풋콩이 사용되고 있는 것으로 알려져 있다.

즌다모치 용어에 대해서는 다양한 설이 있는데, 즌다라는 단어는 콩을 으깨는 것을 의미하는 즈다(豆打)에서 유래했다는 설과 즈다가 전국시대에 검으로 콩을 으깬 유명한 무장 다테 마사무네의 진다치 검에서 유래했다는 설, 또 진타라는 농부가 창작했다는 설도 있다.

즌다사료 매장은 센다이역, 센다이 국제 공항, 나리타 공항 등에 있다.

[노사쿠의 맥주컵 세트]

<사진 www.shopnousaku.com 홈페이지>

노사쿠(能作)의 본사 및 공장이 있는 도야마현 다카오카시는 에도시대부터 400년 이상 주물 제조를 활발히 해온 마을로 이곳에 창업한 노사쿠는 100년 이상 다양한 제품을 만들어 오다 2003년 손으로도 간단하게 구부릴 수 있을 정도의 부드러운 주석 100% 제품에 도전하여 세계 최초로 성공을 거두면서 고급 브랜드로 자리매김했다. 주석은 금, 은 다음으로 비싼 금속으로 그 안에 담은 물이 부식되지 않고 술의 풍미가 부드러워지는 뛰어난 향균 작용이 있다.

노사쿠 제품 중 '맥주컵 세트(ビアカップ 2ヶセット)'는 선물용으로 많이 찾는데 열전도성이 뛰어나 냉장고에 컵을 1~2분 넣어둔 후 맥주, 아이스 아메리카노, 얼음물 등을 마시면 더욱 시원함을 느낄 수 있다. 일본의 노사쿠 직영점(18개)에서 구입할 수 있다.

3장. 시코쿠

[스다치&스다치군]

<사진 www.doopedia.co.kr 홈페이지>

도쿠시마현으로 여행을 간다면 도쿠시마역 클레멘트프라자(クレメントプラザ)에 들러 도쿠시마에서 가장 유명한 특산품인 '스다치(すだち)'와 '스다치군(すだちくん)'을 살 것을 추천한다.

스다치는 도쿠시마산 감귤류로 귤과 비슷하게 생겼지만 레몬이나 라임처럼 강한 신맛이 나며, 새파랄 때 먹어야 맛이 있다. 왜냐 하면 익으면 익을수록 점점 특유의 맛이 떨어져가기 때문이다. 감기에 좋아 차로도 먹고, 천연 식초로도 만들어 그대로 먹거나 음료수를 만드는 등 다용도로 이용할 수 있다. 그 외 도쿠시마현을 상징하는 관광 홍보 캐릭터인 스다치군도 좋은 선물이 될 것이다.

[시샤모네코]

<사진 ししゃもねこ社 제공>

'시샤모네코(ししゃもねこ)'는 일명 열빙어 고양이로 빙어의 종류인 '시샤모'와 고양이를 뜻하는 '네코'의 합성어로 머리는 고양이이고 몸은 시샤모인 캐릭터이다. 도쿠시마현에 살고 있는 디자이너 카와쿠보 타카미코가 만들었으며, 전 세계를 행복하게 하기 위해 활약한다는 치유계의 판타지로서 일본인들에게 사랑받고 있다.

2011년에 만들어져서 10년이 훌쩍 넘은 시샤모네코는 인형, 토드백, 키홀더 등 여러 가지 상품으로 출시되고 있어 도쿠시마 여행을 하는 관광객들이 아이들에게 줄 선물로 많이 찾고 있다. 시코쿠 지방의 공항, 고속도로 서비스 구역, 기념품샵, 호텔의 마켓에 가면 만날 수 있다.

[이마바리 타월 마쓰야마 에어포트 스토어의 이마바리 타월]

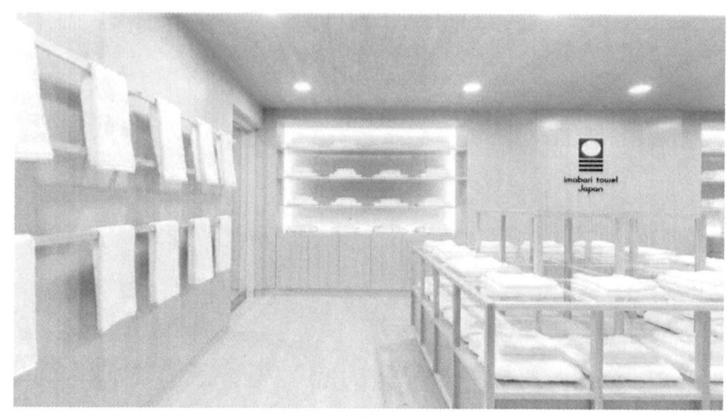

<사진 www.imabaritowel.jp/store#matsuyama 홈페이지>

'이마바리 타월(今治タオル)'은 일본 최대의 타월산지 에히메현 이마바리시에서 생산된 타월로 일본 전역 타월의 60%가 이곳에서 생산된다. 타월 브랜드 중에서도 고급 제품으로 여겨지고 있는 이마바리 타월은 이마바리시에 있는 수백 개의 공장을 연합하여 이마바리 타월 조합을 만들고 하나의 브랜드로 출시한 것으로, 까다롭고 엄격한 품질 기준을 통과하면 이마바리 타월 로고가 붙는다. 이러한 명성 때문에 에히메를 찾는 여행객들에게 선물하기 좋은 상품으로 입소문이 났다.

이마바리 타월은 이마바리 타월 마쓰야마 에어포트 스토어(今治タオル　松山エアポートストア)에서 판매하고 있다.

[감귤&감귤주스]

에히메현을 대표하는 단 한가지를 말한다면 '감귤(みかん, 미캉)'을 꼽을 수 있다. 일본 최대 감귤 생산지로 유명한 에히메의 감귤은 세토우치 바다의 온난한 기후와 계단식 밭에서 바닷바람을 맞으며 자랐으며, 단맛과 산미의 조화가 뛰어나다.

마쓰야마시의 온천거리인 도고 하이카라 도리(道後ハイカラ通り)에 가면 에히메현의 특산품인 감귤을 비롯해 다양한 감귤맛 젤리, 소프트 아이스크림, 푸딩, 주스, 귤 맥주 등 귤로 만든 디저트가 가득하고, 귤을 상징하는 에히메현의 대표 캐릭터 '미캉'과 다양한 귤의 종류를 언제 먹을 수 있는지 알 수 있는 감귤 달력도 관광객들의 시선을 모은다.

[츠보야의 봇짱당고]

<사진 www.tsuboya-kashiho.com 홈페이지>

'봇짱당고(坊っちゃん団子)'는 나쓰메소세키가 에히메현 마쓰야마시를 무대로 만든 소설 <도련님>에서 도련님(봇짱)이 온천 후 먹은 당고를 모티브로 3색 경단(당고)을 나무꼬치에 꽂아 만든 당고로 유명해졌으며, 말차, 달걀, 팥으로 만들어 녹색, 흰색, 고동색을 띤다. 1883년에 창업한 츠보야(つぼや)가 원조대접을 받고 있으며, 실제로 나쓰메 소세키가 마쓰야마에서 먹었던 가게인 츠보야가 도고 온천 상점가에 자리 잡고 있다.

동글동글 귀여운 3색 당고는 마쓰야마의 명물로 자리 잡았고, 관광객들은 소설 속 주인공처럼 온천 후 달콤 쫀득한 당고의 맛을 선물로 전하고 있다.

[히메다루마]

<사진 www.matsuyama-sightseeing.com 홈페이지>

에히메현 마쓰야마시의 전통공예품인 ‘히메다루마(姫ダルマ)’는 아이가 가지고 놀면 건강하게 자라고 아픈 사람이 곁에 두면 병이 빨리 낫고 일어난다고 하여 결혼 선물이나 출산 선물로 많이 이용하고 있다.

붉은 의상을 입은 승려 모습의 일반적인 다루마와는 달리 여성의 모습이 히메다루마의 특별한 점이다. 히메다루마의 탄생에 대해서는 여러가지 설이 있는데 그 중에서 일본 최초의 여자 황제였던 진구 황후가 도고 온천에서 임신을 한 것을 기념하여 만들어졌다고 알려져 있다. 복을 선물하는 의미를 가진 히메다루마는 에히메 여행 선물로 매우 좋을 것 같다.

제4장. 규슈

[히요코혼포 요시노도의 하카다 명과 히요코&하카다 히요코 사브레]

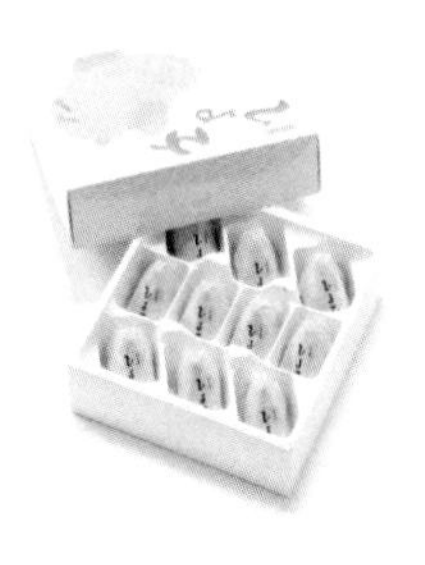

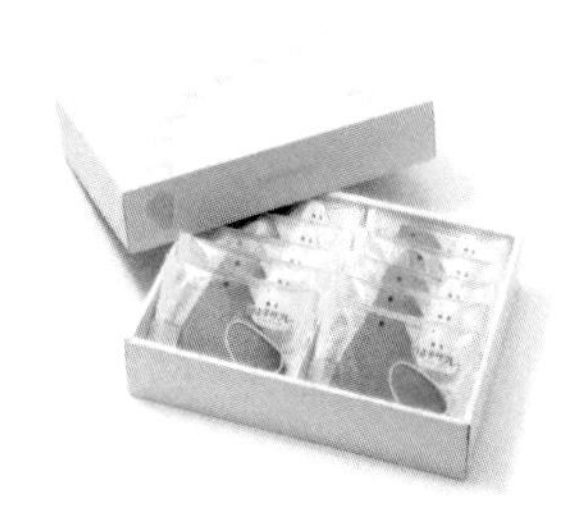

<사진 ひよ子本舗吉野堂 제공>

조금 더 특별한 후쿠오카 여행 선물을 하고 싶다면 후쿠오카시에 본사를 둔 히요코혼포 요시노도(ひよ子本舗吉野堂)가 판매하는 유명한 만쥬인 '하카다 명과 히요코(博多名菓ひよ子)'와 '하카다 히요코 사브레(博多ひよ子サブレー)'를 추천한다.

히요코 만쥬는 후쿠오카에서만 판매하는 맛이 있기 때문에 더욱 특별한데 겨울에는 딸기 맛, 여름에는 말차 맛 등 계절별로 한정 메뉴를 오직 후쿠오카에서만 구입할 수 있다.

병아리 모양이 매우 귀여워 아이들이 특히 좋아하는 선물로 후쿠오카 공항에서 판매되고 있다.

[이모야 킨지로의 이모켄피]

<사진 芋屋金次郎 제공>

후쿠오카 텐진 지하상가에 가면 고구마스틱을 전문으로 판매하는 이모야킨지로(芋屋金次郎)라는 가게가 있다. 이모야킨지로는 창업한 이래 꾸준히 한 아이템만을 고집하는 곳으로, 일본 전국에 딱 8개의 샵이 존재하고 있다. 이모야킨지로의 메인 아이템은 '이모켄피(芋けんぴ)'인데 '이모'는 고구마, '켄피'는 막대 모양으로 만든 단단한 과자를 말한다. 샵에 가면 갓 튀겨낸 이모켄피를 시식할 수도 있고 구입할 수도 있다. 흑설탕 버전 이모켄피, 이모칩(고구마칩) 등 다양한 고구마 과자를 만날 수 있다.

[후쿠사야의 카스텔라&이와나가 바이주켄의 카스텔라]

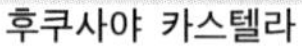

후쿠사야 카스텔라

이와나가 바이주켄 카스텔라

<사진 www.fukusaya.co.jp / www.baijyuken.com 홈페이지>

카스텔라는 1600년대 일본이 최초로 나가사키항을 외국에 개방하면서 포르투갈 사람들에 의해서 전해진 빵으로 나가사키에는 카스텔라 가게가 유명하다.

후쿠사야(福砂屋)는 나가사키 카스텔라의 원조 가게로 1624년에 문을 열었다. 창업이래 수작업으로만 카스텔라를 만들고 있으며, 계란과 설탕, 물엿, 밀가루 등을 제외한 다른 어떤 화학첨가물도 사용하지 않는 가장 기본에 충실한 맛을 내고 있다.

카스텔라 밑 부분에 있는 설탕 알갱이는 굵은 설탕이 반죽하는 과정에서도 남은 것으로 이것이 바로 후쿠사야 카스텔라의 특징으로 카스텔라 밑 부분을 먹을 때 사각사각 씹히는 맛을 느낄 수 있다.

후쿠사야에서 가장 인기 있는 카스텔라는 '오리지널 카스텔라'로 쫀득하고 부드러운 맛이 일품이며, 가격은 비싸지만 '고산야키 카스텔라(五三焼カステラ)'도 꼭 맛보길 바란다.

규슈를 비롯한 일본 전역에서 후쿠사야 카스텔라를 판매하고 있으며, 후쿠오카 공항에서도 살 수 있다.

이와나가 바이주켄(岩永梅寿軒)은 1830년에 문을 열었으며 다른 유명 카스텔라 가게에 비해 유명하지는 않지만 맛으로는 1~2등을 다툰다. 이곳의 카스텔라는 진한 계란 향에 떡같이 찰진 쫀득한 맛이 특징으로 유통기한이 짧아 구매후 빨리 먹어야 한다.

이와나가 바이주켄은 화과자 전문점이기 때문에 카스텔라는 당일 판매용으로 40개 정도만 만들어서 소량 판매하고 있으며 예약 주문만 받는다.

[마루타이의 나가사키 짬뽕]

<사진 www.marutai.co.jp 홈페이지>

마루타이(まるたい)의 ‘나가사키 짬뽕(長崎ちゃんぽん)’은 맛도 좋고 영양가도 좋은 나가사키의 대표 면요리이다. 돈코츠 국물에 해물 육수 또는 닭 뼈 국물을 넣어 만드는 두 가지 맛이 있는데 매운맛이 없는 것이 특징이다.

즉석으로 조리할 수 있는 나가사키 짬뽕은 상온, 냉장, 냉동으로 판매되는데 냉장과 냉동식품은 여행 중 상할 수 있기 때문에 나가사키 짬뽕을 선물로 가지고 가고 싶다면 상온으로 된 나가사키 짬뽕을 구매하는 것이 좋다. 또 바삭한 식감의 국물 없는 나가사키 짬뽕도 인기다.

슈퍼, 기념품 가게, 주요 백화점 등에 가면 쉽게 찾아볼 수 있다.

[아카시야의 가루칸]

<사진 明石屋 제공>

'가루칸(軽羹, かるかん)'은 가루칸 가루, 참마, 물을 사용하여 만드는 가고시마현의 명과로, 폭신한 스펀지 모양의 식감과 당도가 높지 않은 맛이 특징이다.

고레에다 감독의 <진짜로 일어날지도 몰라 기적>에서 중요한 소재로 사용되면서 우리에게 친근하게 다가왔다.

미츠코시 백화점 카유안에 가루칸을 처음 만든 원조가게인 아카시야(明石屋)의 제품들이 들어와 있으며, 가고시마의 여러 곳에 아카시야 매장이 있으니 가고시마의 선물을 사고 싶다면 꼭 한번 들러 보자.

[오차노비로엔의 사츠마르쉐]

<사진 www.birouen.shop-pro.jp 홈페이지>

일본 제2위의 산지인 가고시마 차는 에도시대부터 특산품으로 장려되어 다양한 품종이 재배되고 있다. 가고시마의 품질을 최대한 끌어올린 마음에서 향이 나는 차를 목표로 하고 있는 오차노비로엔(お茶の美老園)에는 말차를 비롯한 다양한 맛의 가고시마의 차를 판매하고 있다.

특히 비로엔의 여성 스태프가 기획하고 개발한 '사츠마르쉐(Satsumarché)'는 7가지의 맛을 맛볼 수 있는 티백 형태로 되어 있고, 고급스러운 포장으로 선물하기 좋은 상품으로 사랑받고 있다.

가고시마의 특산품을 한곳에서 볼 수 있는 센간엔(仙巌園) 기념품점이나 오차노비로엔 본점에서 판매한다.

[후쿠야마수의 쿠로즈]

<사진 www.fukuyamasu.co.jp 홈페이지>

‘쿠로즈(黒酢)’는 1820년경부터 일본 가고시마현의 한 회사가 태양의 힘으로 발효시키는 항아리 제법으로 만든 현미식초를 쿠로즈라고 명명하여 전국에 판매한 것이 그 시초로, 1970년경부터 숙성될수록 호박색이 짙어져 ‘흑초’라고도 불린다. 주원료는 현미, 쌀누룩, 물을 사용한다.

가고시마의 대표적인 양조회사는 후쿠야마수 양조 주식회사, 사카모토 양조 주식회사, 마루시게 등이 있는데 대표적으로 후쿠야마수(福山酢)의 신쿠로즈(辛黒酢), 블루베리·링고(사과)·사쓰마 쿠로즈 등을 선물용으로 추천한다. 가고시마 특산품을 한곳에서 볼 수 있는 센간엔(仙巌園) 기념품점, 가고시마 공항 면세점, 시내 백화점, 가고시마 특산물 시장(천문관)이나 마트에 가면 쿠로즈를 만날 수 있다.

[이치란의 이치란 라멘]

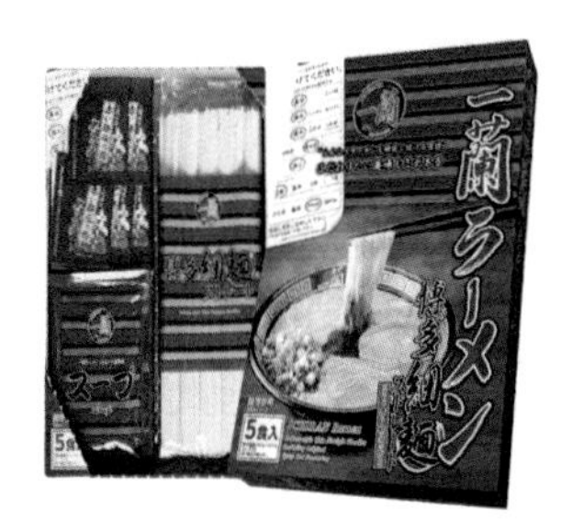

<사진 一蘭 제공>

일본의 라멘집 하면 가장 먼저 떠오르는 곳은 '이치란 라멘(一蘭ラーメン)'이다.

이치란 라멘은 돈코츠 라멘을 전문으로 시작하였으며, 체인 레스토랑은 규슈지방 후쿠오카에서 1960년에 창업해 30년 동안 한 곳에서 라멘을 제공해 오며 일본인들은 물론 관광객들의 입맛을 사로잡았다. 현재 점포 수는 일본 국내 78개, 해외에는 8개의 매장을 가지고 있다.

지금은 일본의 마트에서 쉽게 이치란 라멘을 볼 수 있어 일본 여행을 하는 사람들이 선물용으로 많이 구입하고 있다.

[구멘야의 아카마츠 센베]

<사진 www.kumenya.shop-pro.jp 홈페이지>

기리시마산계의 아카마츠 수피를 본뜬 얇게 구운 구멘야(九面屋)의 '아카마츠 센베(赤松せんべい)'는 한입에 쏘옥 먹을 수 있는 크기의 전병으로 부모님이나 어르신들께 선물하기 매우 좋다.

달걀과 밀과 설탕을 사용하여 옛날 그대로의 제조법으로 정성껏 구워 고급스러운 포장지에 예쁘게 담겨져 있어 선물 받는 사람의 마음을 즐겁게 만들어 준다.

가고시마 공항 면세점에 가면 볼 수 있다.

[야마후쿠 제과의 가고시마 스위트 포테통]

<사진 www.yamafukuseika.co.jp 홈페이지>

야마후쿠 제과(山福製菓)의 '가고시마 스위트 포테통(かごしま スイ一トポテトン)'은 안에 고구마 앙금이 들어 있는 만쥬이다. 고구마로 흑돼지를 동글동글 만들어 놓은 제품으로 일반 고구마와 자색 고구마 반반씩 들어 있다. 스위트 포테통의 통은 '돼지 돈(豚)'자의 일본어 발음이다. 5개, 8개, 16개, 24개씩 포장되어 판매하고 있고, 귀여운 돼지가 그려져 있는 포장이 사랑스러워 선물을 받는 사람의 마음도 따뜻해진다.

가고시마의 특산품이 모여 있는 미야게 요코쵸(みやげ横丁)에 가면 가고시마 스위트 포테통이 있다.

제5장. 오키나와

[시로마 제과의 자색 고구마 타르트]

<사진 www.shiromaseika.com 홈페이지>

오키나와에 여행을 가면 반드시 사와야 할 것 중의 하나가 바로 시로마 제과(しろま製菓)의 '자색 고구마 타르트(紅芋タルト, 베니이모 타르트)'이다. 자색 고구마 타르트는 베니이모라는 오키나와의 토착 적고구마이다. 오키나와의 오카시고텐 지역의 베니이모는 상하기 쉽다는 특징을 가져 외부에서 잘 먹지 않았다가 서양식 레시피가 들어오고 고구마를 으깨서 가공하는 요리법이 등장하면서 베니이모를 타르트로 만들면서 유명해지게 되었다.

부드러운 식감과 달콤한 맛의 타르트는 남녀노소 부담 없이 즐길 수 있는 간식으로 가격도 적당해 오키나와 선물로 전하기 좋다. 나하 공항 면세점이나 주요 백화점에 가면 있다.

[류구의 사타안다기]

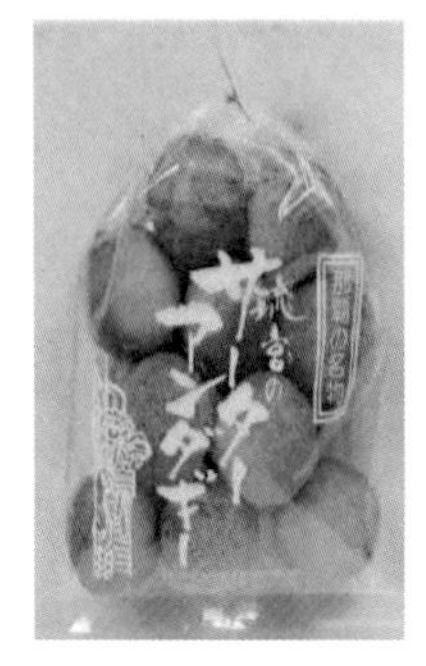

<사진 www.ryugu.shop-pro.jp 홈페이지>

일본 만화나 애니메이션을 보면 오키나와를 대표하는 간식으로 자주 등장하는 도넛이 있는데 그것이 바로 '사타안다기(サーターアンラギー)'이다. 오키나와어로 설탕(サーター)+기름(アンダ)+튀김(アギ—)을 합쳐 사타안다기로 부르는데 오키나와에 가면 쉽게 접할 수 있다.

오키나와는 예로부터 사탕수수 농사에 집중하였기 때문에 설탕이 들어가 단 맛이 나는 것이 특징으로 갓 튀긴 사타안다기는 정말 맛이 있다.

사타안다기 전문점 류구(琉宮), 나하시 국제거리에 있는 오카시고텐(御菓子御殿)에 가면 선물하기 좋은 사타안다기를 살 수 있다.

[시콰사]

<사진 두산백과(doopedia) 홈페이지>

‘시콰사(シ―クヮ―サ―)’는 오키나와 섬의 특산품으로 오키나와 방언에서 신맛을 의미하는 ‘시(シ―)’와 먹게 하다라는 의미인 ‘쿠아사(クワ―サ―)’의 합성어이다.

시콰사는 레몬처럼 강한 신맛과 쌉쌀한 맛이 나고 당도는 매우 낮은 열매로, 오키나와에서는 시콰사를 레몬과 같이 사용하여 생선회나 구운 생선에 뿌려 먹기도 하고 술, 수프, 샐러드드레싱, 케이크, 주스, 잼, 젤리, 사탕 등의 재료로 사용되고 있다.

오키나와의 편의점이나 마트에 가면 시콰사를 재료로 한 다양한 상품이 판매중이니 지인들에게 꼭 선물해 보길 바란다.

[히가주조의 아와모리, 잔파 프리미엄&잔파 아오기리 시콰사]

<사진 www.zanpa.co.jp 홈페이지>

아와모리(泡盛)는 일본산 주류의 한 종류로 오키나와의 전통적인 술이다. 과거 류큐왕국 시절부터 지금까지 일본에서 가장 오랜 역사를 지닌 증류주이다. 오키나와산 쌀과 타이산 쌀을 주로 사용하며 주로 아시아에서 많이 먹는 쌀 품종인 인디카와 흑누룩의 조합으로 만든다. 아와모리는 30도 이상이 기본이고 스트레이트로 마시거나, 소주와 찬물을 6대4의 비율로 섞어 마시는 미즈와리, 소주와 따뜻한 물을 6대4로 섞는 오유와리의 방법으로 즐길 수 있다.

오키나와 요미탄손에 있는 히가주조(比嘉酒造)의 '잔파 프리미엄(ZANPA PREMIUM)'과 '잔파 아오기리 시콰사(残波青切りシークワーサー)'가 유명한데 잔파 팩토리 샵, 오키나와야, 쿠스야 쿠모지점에서 판매하고 있다.

[난푸도의 유키시오 친스코]

<사진 www.nanpudo.co.jp 홈페이지>

오키나와 과자로 유명한 난푸도(南風堂)의 '유키시오 친스코(雪塩ちんすこう)'는 유키시오(눈꽃소금)와 오키나와 명과 친스코가 조화를 이루며 탄생한 친스코로, 바삭하고 촉촉한 식감과 함께 짠맛과 단맛이 조화를 이루며 밀가루와 설탕, 돼지기름이 주재료이다.

유키시오는 오키나와 미야코섬에서 생산되는 유명한 소금으로, 유키시오로 만든 유키시오 친스코는 관광객들에게 직장 동료나 지인들에게 돌리기 좋은 매력적인 상품으로 알려져 있다.

나하 공항 면세점이나 슈퍼마켓 등에 가면 구입할 수 있다.

[난푸도의 시마토가라시 에비 센베]

<사진 www.nanpudo.co.jp 홈페이지>

난푸도(南風堂)의 '시마토가라시 에비 센베(島とうがらし えびせんべい)'는 오키나와 재배 품종 고추로 만들어진 오키나와에서 손꼽히는 새우 과자이다.

건새우를 갈아놓은 듯한 진한 새우의 맛은 깊은 감칠맛이 나며, 맥주 안주로 먹으면 더욱 맛이 있어 오키나와를 찾는 여행객들에게 사랑받고 있다. 나하 공항 면세점이나 오키나와의 국제거리에서 흔히 볼 수 있다.

[시샤]

<사진 www.ja.wikipedia.org 홈페이지>

‘시샤(シーサー)’는 오키나와에만 있는 상상 속의 동물로, 사자의 모양을 하고 있으며 지붕과 문 앞에서 나쁜 악재 등을 쫓아 버린다는 의미로 오키나와의 집이나 가게 등 어느 곳에서도 볼 수가 있다.

시샤는 원래 이집트에서 왕과 신을 수호하는 스핑크스가 중국에서 전해서 13-14세기 중국에서 오키나와로 전해졌다고 알려져 있으며, 오키나와 국왕과 국가의 위대한 사람들 등의 상징물로도 사용되었다. 보통 시샤는 입을 벌리고 있는 것이 수컷, 입을 다물고 있는 것이 암컷이다.

오키나와의 기념품 가게에 가면 시샤와 관련된 다양한 상품이 판매되고 있으며, 오키나와 국제거리 근처에 위치한 공방에서도 직접 시샤를 만들어볼 수 있다.

[미야코지마의 유키시오 후와와]

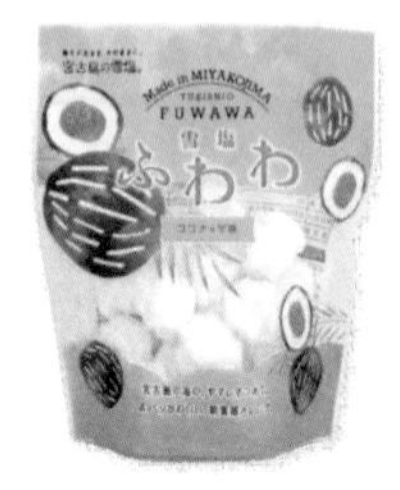

<사진 宮古島 제공>

미야코지마(宮古島)의 '유키시오 후와와(雪塩ふわわ)'는 오키나와 미야코지마에서 생산되는 소금을 넣어 만든 머랭쿠키 질감의 꽃 과자다.

입에 넣는 순간 사르르 녹는 식감이 특징으로 코코넛, 흑설탕, 자색고구마까지 다양한 맛의 후와와가 있다.

아이들 간식은 물론 어른들 간식으로도 손색이 없어 오키나와를 방문하는 여행객들이 매우 좋아하는 상품이다.

오키나와의 면세점이나 쇼핑센터에 가면 만날 수 있다.

[35커피의 블렌드 원두가루]

J.F.K 스페셜

ISLAND 스페셜

O.L.T 스페셜

<사진 www.35coffee.base.shop 홈페이지>

오키나와 한정 커피로 오키나와에서만 만들 수 있는 코랄(죽은 산호) 로스팅의 맛을 선물하고 싶다면 오키나와 특산 커피 '35커피(35COFFEE)'를 구입하면 된다.

가장 인기가 좋은 35커피의 블렌드 원두가루는 3가지 종류가 있는데 'JFK 스페셜(JFKスペシャル)', 'ISLAND 스페셜(ISLANDスペシャル)', 'O.L.T 스페셜(O.L.Tスペシャル)'이다.

J.F.K 스페셜은 콜롬비아 원두를 베이스로 브라질과 인도네시아 원두를 혼합한 것이다. 포장은 세이카이 웨이브라고 불리며 넓은 바다의 혜택을 주며 끝없이 펼쳐지는 잔잔한 파도 속에서 행복을 기원하고 평화로운 삶을 바라는 마음을 담은 상서로운 문양을 담고 있다.

O.L.T 스페셜은 인도네시아산 원두를 베이스로 브라질산과 콜롬비아산 원두를 블렌딩한 커피이다. O.L.T 패키지는 '오키나와 생명의 보물'을 의미하는 민사르 문양으로 5~4개의 체크무늬를 번갈아 가며 사용하고 있다.

ISLAND 스페셜은 브라질 원두를 기반으로 콜롬비아와 인도네시아 원두를 혼합한 것이다.

이 세 종류의 원두가루는 코랄 로스팅 방법을 사용하고 있는데 풍화된 코랄을 492°F(200°C)까지 가열하여 원두를 로스팅한 후 시간이 지남에 따라 굽는 것으로 원두 본연의 맛을 살려준다.

또 실버 스킨을 흡수하고 제거하여 원두 본연의 맛을 추구하는 '그라눌레이터'라고 불리는 특별한 기계를 사용한다.

맛과 품질 관리도 철저하여 인증된 커피 강사의 로스팅, 밀링(크러쉬), 컵 테스트를 거치는 등 매일 철저한 관리를 하고 있어 신뢰할 수 있다.

오키나와 국제거리에 위치한 35커피, 돈키호테, 나하 공항 면세점 등에서 판매한다.

[유리공방 쵸우히치야의 목걸이&귀걸이]

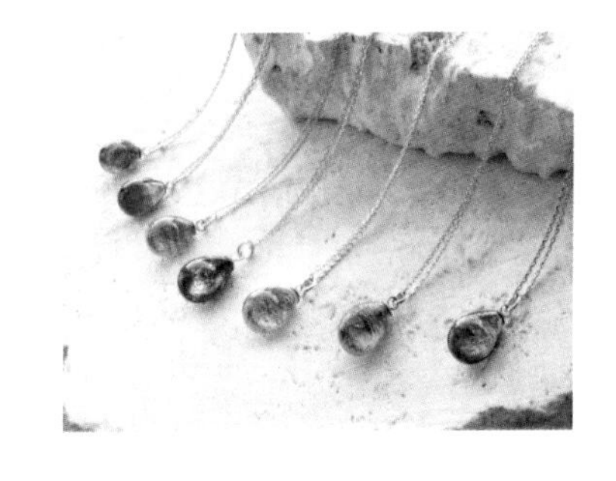

<사진 株式会社ガラス工房長七屋 제공>

오키나와의 아름다운 바다의 경치를 액세서리를 통해 마음을 전하는 방법이 있다.

오키나와현 기타나카구스쿠무라(北中城村)에 위치한 주식회사 유리 공방 쵸우히치야는 "오키나와의 바다를 가지고 돌아가자"를 테마로 케라마 블루나 야에야마 블루 등 지역에 따라 다른 7개의 바다 색을 재현한 '나나미 시리즈' 액세서리를 판매하면서 오키나와를 방문하는 관광객의 마음을 사로잡고 있다.

심플한 실버 목걸이와 함께 오키나와를 대표하는 꽃 '데이고(deigo)'를 모티브로 디자인한 실버 귀걸이 등 선물로 좋은 상품이 풍부하다. 쵸우히치야는 현내에 7점포가 있다.

일본 지도

대한민국
서울특별시
강원도
동해
인천광역시
경기도
충청북도
충청남도
경상북도
대전광역시
황해
(서해)
대구광역시
전라북도
울산광역시
경상남도
광주광역시
부산광역시
전라남도
남해
제주도
일본
홋카이도
혼슈
사도가시마
주부 지방
도호쿠 지방
간토 지방
주고쿠 지방
쓰시마
시코쿠
간사이(긴키) 지방
규슈
오키나와
1. 홋카이도
2. 아오모리현
3. 이와테현
4. 미야기현
5. 아키타현
6. 야마가타현
7. 후쿠시마현
8. 이바라키 현
9. 도치기현
10. 군마현
11. 사이타마현
12. 지바현
13. 도쿄도
14. 가나가와현
15. 니가타현
16. 도야마현
17. 이시카와현
18. 후쿠이현
19. 야마나시현
20. 나가노현
21. 기후현
22. 시즈오카현
23. 아이치현
24. 미에현
25. 시가현
26. 교토부
27. 오사카부
28. 효고현
29. 나라현
30. 와카야마현
31. 돗토리현
32. 시마네현
33. 오카야마현
34. 히로시마현
35. 야마구치현
36. 도쿠시마현
37. 가가와현
38. 에히메현
39. 고치현
40. 후쿠오카현
41. 사가현
42. 나가사키현
43. 구마모토현
44. 오이타현
45. 미야자키현
46. 가고시마현
47. 오키나와현

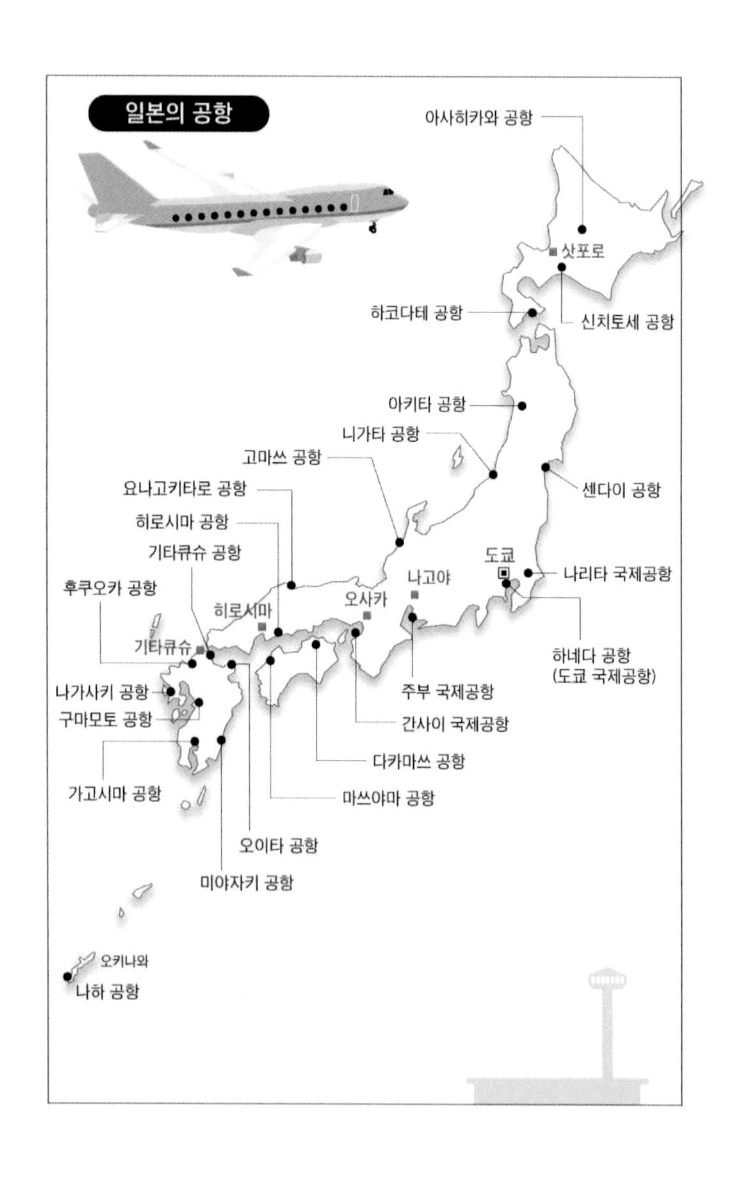
일본의 공항
아사히카와 공항
삿포로
신치토세 공항
하코다테 공항
아키타 공항
니가타 공항
센다이 공항
고마쓰 공항
요나고키타로 공항
히로시마 공항
기타큐슈 공항
도쿄
나리타 국제공항
나고야
후쿠오카 공항
오사카
히로시마
기타큐슈
하네다 공항
(도쿄 국제공항)
나가사키 공항
주부 국제공항
구마모토 공항
간사이 국제공항
다카마쓰 공항
가고시마 공항
마쓰야마 공항
오이타 공항
미야자키 공항
오키나와
나하 공항